LA PRÉSENTATION
VISUELLE

FRANCINE BASTIEN

D1369564

CCDMD
CENTRE COLLÉGIAL DE DÉVELOPPEMENT
DE MATÉRIEL DIDACTIQUE

Ouvrage réalisé
sous la responsabilité du

Cégep du
Vieux Montréal

Données de catalogage avant publication (Canada)

Bastien, Francine, 1942-
    La présentation visuelle
    Comprend des réf. bibliogr.
    Pour les étudiants du niveau collégial.

ISBN 978-2-89470-208-6

1. Étalage. 2. Marchandisage. 3. Couleur en marketing.
4. Magasins-Éclairage. 5. Art publicitaire. I. Centre collégial de développement de matériel didactique. II. Titre.

HF 5845.B37 2003   659. 1'57   C2003-940990-2

Ouvrage publié par :
  Centre collégial de développement de matériel didactique (CCDMD)
  6220, rue Sherbrooke Est, bureau 416
  Montréal (Québec) H1N 1C1
  CANADA

  téléphone : (514) 873- 2200
  Site internet : www.ccdmd.qc.ca

Responsabilité du projet au CCDMD : Marie-Andrée Gaboury
Responsabilité du projet au cégep du Vieux Montréal : Marie-Claude Bertrand
Révision linguistique : Hélène Roy
Révision technique : Constant Bibeau

Édition électronique et conception de la couverture : Estelle Hallé
Illustrations : Renée Othot

Dépôt légal : 2e trimestre 2003
Bibliothèque nationale du Québec

@ Centre collégial de développement de matériel didactique (CCDMD)
  Collège de Maisonneuve

CHAPITRE 3   *La couleur*

CHAPITRE 4   *L'éclairage*

CHAPITRE 5   *La conception et la composition*

CHAPITRE 8   *Signalisation et affichage en présentation visuelle*

La présentation visuelle fait partie des arts appliqués. Sa nature tient donc à la fois de la technique et de l'intuition. Comme son mode d'opération relève parfois d'une alchimie insaisissable, la qualifier d'art à part entière rendrait probablement justice aux qualités créatrices et artistiques que requiert l'exercice de cette profession. Néanmoins, celui ou celle qui choisit de faire carrière en ce domaine doit acquérir une solide base technique et bien comprendre certains principes fondamentaux. Ce sont là les deux sujets que le présent ouvrage se propose de développer sous leurs différentes facettes.

X

La présentation visuelle est étroitement liée au secteur des communications et de la publicité, et le titre de designer de présentation est attribué aux professionnels de la communication 3D dont on retient les services pour concevoir et réaliser des présentations de toutes sortes. La plupart des interventions des designers sont de courte durée. Le rôle des designers consiste à cerner les exigences de communication de leurs clients, puis à élaborer un concept de présentation visuelle en tenant compte des besoins de ceux-ci ainsi que de l'espace et du budget disponibles. Dans certains cas, les designers assurent la fabrication et l'installation de leur concept; dans d'autres cas, ils ne font que la coordination du projet.

Les designers de présentation sont à l'écoute des consommateurs; ils maîtrisent le langage visuel et ils créent des images efficaces et compréhensibles pour tous. Leur tâche consiste à concevoir et à planifier des présentations visuelles, et à en effectuer le montage.

Le **designer-étalagiste** conçoit des vitrines, des présentations de produits, des présentations de vêtements avec ou sans mannequin, et il réalise des montages de décors pour des photos (stylisme).

Le **designer de décors,** quant à lui, conçoit des décors et des accessoires thématiques et saisonniers pour les centres commerciaux, le cinéma et la vidéo, les spectacles et les événements médiatiques, la télévision, les présentations muséologiques, les photos (stylisme) et les étalages de magasin.

Enfin, le **designer d'expositions** se spécialise dans la conception de stands d'expositions commerciales, d'expositions muséologiques et d'événements spéciaux.

Le designer de présentation exerce son métier comme contractuel ou salarié. Dans le premier cas, il doit également assumer les responsabilités de chef d'entreprise : développer une clientèle, organiser son temps de travail et celui de ses employés, gérer les ressources humaines, matérielles et financières de son entreprise, et engager des sous-traitants, si nécessaire.

Dans le second cas, le designer de présentation travaille pour une entreprise : chaîne de magasins, magasin à rayons, firme spécialisée dans les expositions culturelles ou commerciales, atelier de décors ou tout autre secteur de la présentation visuelle. Il reçoit un salaire de cette entreprise.

Les designers de présentation sont des magiciens, des fabricants de rêve et de fantaisie. Ils présentent des objets et trouvent des façons nouvelles et originales de les mettre en valeur. Ils font appel à l'imaginaire pour piquer la curiosité des passants, les attirer et les séduire, de façon à créer chez eux un intérêt pour les articles présentés. La présentation visuelle fait plus que vendre des idées ou des produits, elle convainc le consommateur de la nécessité de se procurer l'objet qui lui fait envie.

En somme, on ne s'improvise pas designer de présentation. Il faut du temps et de l'expérience pour bien connaître les ficelles du métier et aussi, au risque de nous répéter, l'acquisition de connaissances fondamentales.

Nous espérons que ce manuel vous sera utile dans l'apprentissage de ce métier passionnant.

Les grandes étapes
de la présentation visuelle

On ne s'étonnera pas que la présentation visuelle soit de plus en plus présente et tentatrice dans notre société de consommation, où les commerces se livrent une compétition féroce et où il est difficile de répondre aux exigences de consommateurs souvent blasés.

La présentation des marchandises n'est cependant pas un phénomène typiquement contemporain; on constate qu'elle a existé de tout temps et que son histoire est étroitement liée au développement du commerce et de la technique, celle du verre en particulier, qui a permis la réalisation de la vitrine.

De l'antiquité au XVIIIᵉ siècle

À partir de la Rome antique, l'échoppe de l'artisan reste sensiblement la même pendant des siècles. Le plus souvent, la boutique sert d'atelier et d'habitation familiale. Les volets s'ouvrent pour faire profiter de la lumière du jour, et l'artisan travaille à l'intérieur ou à l'extérieur de sa boutique largement ouverte. Il étale autour de lui sa production et traite toutes ses affaires dans la rue. Le soir venu, il ferme portes et volets, et la vie familiale s'organise autour des repas et du repos.

Dès le Moyen Âge, les boutiques présentent des façades vitrées faites de carreaux de petites dimensions, coulés en forme de cul-de-bouteille, de teintes foncées, et enchâssés dans des montants de bois et de plomb. Il est alors impensable d'étaler sa marchandise derrière ces baies vitrées semi-opaques; il vaut mieux l'exposer à l'extérieur.

Jusqu'à la fin du XVIIᵉ siècle, les marchands et les artisans se contentent donc de présenter leurs marchandises et leurs produits sur le rebord des fenêtres ou de les suspendre sous l'auvent de leur maison. Lorsque les règlements de la voirie les y autorisent, ils étalent leur production sur des tréteaux devant leur boutique.

C'est l'amélioration des techniques de fabrication du verre qui, donnant un produit de plus en plus clair, va permettre l'essor de la présentation des marchandises. À partir du XVIIIᵉ siècle, on réduit la dimension des pièces de bois divisant les châssis des vitres et l'on obtient ainsi de plus grandes surfaces transparentes. Les boutiques deviennent des espaces à la fois clos et transparents, et c'est dans ces conditions que se manifeste le besoin d'attirer l'attention du passant et de mettre en valeur de façon organisée et réfléchie la marchandise. Un nouvel art est né : celui de l'étalage.

XIXᵉ SIÈCLE :
PASSAGES ET GRANDS MAGASINS

Ancêtre des grands magasins et des centres commerciaux, le passage couvert, aussi appelé « galerie », apparaît dans la foulée de l'industrialisation naissante du XIXᵉ siècle. Conçu dès l'origine comme un espace voué au commerce, le passage devient rapidement un haut lieu de la vie sociale. À cette époque, près de 300 passages sont construits en Europe, dont une cinquantaine à Paris. Les passages sont généralement insérés entre deux rues qu'ils unissent, ils sont bordés de boutiques et de cafés, et recouverts d'immenses verrières. Ils proposent à la bourgeoisie un espace où contempler les vitrines des boutiques, tout en restant à l'abri de la rue et des fiacres. Le confort des passages explique leur succès instantané.

LES GRANDS MAGASINS

Les « grands magasins » apparaissent en Europe vers le milieu du XIXᵉ siècle. Au départ, ces magasins, connus sous le nom de « magasins de nouveautés », offrent uniquement des articles de mode et des tissus, et leur nombre restreint ne constitue pas alors une menace pour les petits boutiquiers. Cependant, des agrandissements répétés, l'adoption de techniques commerciales innovatrices et la multiplication des rayons (chaussures, lingerie, articles pour la maison, etc.) vont faire en sorte que les grands magasins vont connaître une croissance extraordinaire au détriment des passages, qui seront peu à peu délaissés. À Paris, le Bon Marché, construit en 1852, va prendre, en une vingtaine d'années, une expansion gigantesque pour l'époque.

Parmi les techniques commerciales qui ont fait la popularité des grands magasins, on peut mentionner : l'affichage à prix fixe (le marchand ne détermine plus les prix selon l'allure ou la tête du client); la possibilité de retourner la marchandise qui ne satisfait pas; des prix réduits en raison de la quantité de marchandise vendue (vendre bon marché pour vendre beaucoup et vendre beaucoup pour vendre bon marché); la liberté, pour le client, de se promener comme bon lui semble dans le magasin, d'examiner la marchandise et de sortir sans rien acheter.

Les grands magasins exercent un pouvoir de fascination sur la clientèle de l'époque parce qu'ils appartiennent à la ville moderne. Dans la plupart des capitales européennes, ils s'établissent sur de nouvelles et grandes avenues. Ce sont de riches constructions, et leur façade permet la création de longues vitrines.

On peut affirmer sans conteste que les grands magasins ont favorisé l'essor de la présentation visuelle. Le lieu, par ses vitrines qui appellent la mise en scène et par son architecture même (on a souvent comparé les grands magasins à des palais, à des temples ou à des églises), est un écrin imposant qui donne le ton à une présentation singulière de la marchandise. La variété, la quantité et la provenance, souvent exotique, de cette marchandise sont aussi des motivations fortes qui vont amener ceux des vendeurs qui ont le plus de goût et de sens artistique à se surpasser dans la réalisation de leurs étalages. Et c'est ainsi que va se créer et se définir peu à peu le métier d'étalagiste.

À la fin du XIXᵉ siècle, avec l'invention de l'électricité, les étalages seront désormais éclairés, ce qui apportera une dimension supplémentaire à la mise en valeur des marchandises.

Il existe un document exceptionnel sur la vie et le fonctionnement des grands magasins dans la seconde moitié du XIXᵉ siècle; il s'agit des *Carnets d'enquête* d'Émile Zola, plus particulièrement de la section intitulée « Calicots ». Le romancier, qui avait entrepris de décrire dans son œuvre différents milieux et groupes sociaux (la bourse, les mines, les ouvriers, les gens d'affaires, le monde des arts, etc.), préparait chacun de ses romans en observant les milieux dont il allait parler et en prenant des notes. Il menait donc de petites enquêtes, qui ont été consignées par la suite dans un volume, *Les carnets d'enquête*.

Voulant écrire un roman (ce roman s'intitule *Au Bonheur des Dames*) qui décrirait la vie moderne et les grands magasins, Zola a rendu visite à trois grands magasins réels et a noté minutieusement leur fonctionnement afin de les utiliser comme modèles de son magasin fictif. De plus, il s'est entretenu avec des gens du métier, de sorte qu'on a un portrait détaillé et complet de la vie dans les grands magasins à cette époque. Depuis le service d'expédition du sous-sol jusqu'au dortoir où couchent les vendeurs en haut de l'immeuble, toute la vie d'un magasin jaillit sous nos yeux et ce sont ces dizaines d'annotations qui serviront à son roman. *Au Bonheur des Dames* constitue ainsi, malgré son intrigue fictive, un document dont la fidélité à la réalité est quasi intacte.

Des extraits du roman, présentés en encadrés (pages 5 et 6), nous donnent une idée assez juste d'abord de ce à quoi pouvait ressembler une vitrine extérieure, puis de ce que pouvait être la présentation visuelle à l'intérieur du magasin et finalement de quoi avait l'air plus spécialement un étalage en particulier.

■ DES ANNÉES 30 AUX ANNÉES 50

Dans les années 30, la vague Art déco passée, l'architecture des boutiques se simplifie. La vitrine occupe le maximum d'espace grâce à l'utilisation de vitres de grandes dimensions. À l'intérieur, le décor est sobre pour donner la priorité à la marchandise et laisser le plus d'espace possible à la circulation des clients. Des éclairages directs ou indirects très vifs mettent en valeur les produits; un soin particulier est apporté à la signalisation et à la typographie. À l'extérieur, on pose des enseignes lumineuses.

Après la Seconde Guerre mondiale, l'abondance et la multiplicité des produits entraînent l'ouverture de nombreuses boutiques et magasins. La concurrence et les moyens techniques de plus en plus sophistiqués font évoluer très rapidement le commerce au détail, une évolution qui se poursuit encore aujourd'hui.

Denise, l'un des personnages principaux d'*Au Bonheur des Dames,* arrive d'une petite ville de province en compagnie de son jeune frère. Ils sont tous deux séduits par Paris, mais surtout par ce grand magasin dont ils viennent de découvrir les vitrines.

D'abord, ils furent séduits par un arrangement compliqué : en haut, des parapluies, posés obliquement, semblaient mettre un toit de cabane rustique; dessous, des bas de soie, pendus à des tringles, montraient des profils arrondis de mollets, les uns semés de bouquets de roses, les autres de toutes nuances, les noirs à jour, les rouges à coins brodés, les chair dont le grain satiné avait la douceur d'une peau de blonde; enfin, sur le drap de l'étagère, des gants étaient jetés symétriquement, avec leurs doigts allongés, leur paume étroite de vierge byzantine, cette grâce raidie et comme adolescente des chiffons de femme qui n'ont pas été portés. Mais la dernière vitrine surtout les retint. Une exposition de soies, de satins et de velours y épanouissait, dans une gamme souple et vibrante, les tons les plus délicats des fleurs : au sommet, les velours, d'un noir profond, d'un blanc de lait caillé; plus bas, les satins, les roses, les bleus, aux cassures vives, se décolorant en pâleurs d'une tendresse infinie; plus bas encore, les soies, toute l'écharpe de l'arc-en-ciel, des pièces retroussées en coques, plissées comme autour d'une taille qui se cambre, devenues vivantes sous les doigts savants des commis; et, entre chaque motif, entre chaque phrase colorée de l'étalage, courait un accompagnement discret, un léger cordon bouillonné de foulard crème. C'était là, aux deux bouts, que se trouvaient, en piles colossales, les deux soies dont la maison avait la propriété exclusive, le Paris-Bonheur et le Cuir-d'Or, des articles exceptionnels, qui allaient révolutionner le commerce des nouveautés.

Émile Zola, *Au Bonheur des Dames*

Octave Mouret célèbre l'agrandissement de son magasin et présente les nouveautés d'été. Les ombrelles deviennent objets de promotion et de décoration partout au Bonheur des Dames.

C'était l'exposition des ombrelles. Toutes ouvertes, arrondies comme des boucliers, elles couvraient le hall, de la baie vitrée du plafond à la cimaise de chêne verni. Autour des arcades des étages supérieurs, elles dessinaient des festons; le long des colonnes, elles descendaient en guirlandes; sur les balustrades des galeries, jusque sur les rampes des escaliers, elles filaient en lignes serrées; et, partout, rangées symétriquement, bariolant les murs de rouge, de vert et de jaune, elles semblaient de grandes lanternes vénitiennes, allumées pour quelque fête colossale. Dans les angles, il y avait des motifs compliqués, des étoiles faites d'ombrelles à trente-neuf sous, dont les teintes claires, bleu pâle, blanc crème, rose tendre, brûlaient avec une douceur de veilleuse; tandis que, au-dessus, d'immenses parasols japonais, où des grues couleur d'or volaient dans un ciel de pourpre, flambaient avec des reflets d'incendie.

Émile Zola, *Au Bonheur des Dames*

> **Madame Marty est une cliente du Bonheur des Dames. Elle représente le type de l'acheteuse facile, sensible au charme de l'étalage.**
>
> Cependant, comme elle traversait les foulards et la ganterie, son cœur défaillit de nouveau. Il y avait là, sous la lumière diffuse, un étalage aux colorations vives et gaies, d'un effet ravissant. Les comptoirs, rangés symétriquement, semblaient être des plates-bandes, changeaient le hall en un parterre français, où souriait la gamme tendre des fleurs. À nu sur le bois, dans des cartons éventrés, hors des casiers trop pleins, une moisson de foulards mettait le rouge vif des géraniums, le blanc laiteux des pétunias, le jaune d'or des chrysanthèmes, le bleu céleste des verveines; et, plus haut, sur des tiges de cuivre, s'enguirlandait une autre floraison, des fichus jetés, des rubans déroulés, tout un cordon éclatant qui se prolongeait, montait autour des colonnes, se multipliait dans les glaces. Mais ce qui ameutait la foule, c'était, à la ganterie, un chalet suisse fait uniquement avec des gants : un chef-d'œuvre de Mignot, qui avait exigé deux jours de travail. D'abord, les gants noirs établissaient le rez-de-chaussée; puis, venaient des gants paille, réséda, sang de bœuf, distribués dans la décoration, bordant les fenêtres, indiquant les balcons, remplaçant les tuiles.
>
> Émile Zola, *Au Bonheur des Dames*

LA PRÉSENTATION VISUELLE AU QUÉBEC

Avant l'arrivée des grands magasins, au Québec, comme ailleurs, les gens s'approvisionnent dans les marchés publics et dans les échoppes des rues commerciales. Dans les campagnes, le magasin général dessert la population rurale et, comme son nom l'indique, il propose une grande variété d'articles : vêtements, articles ménagers, chaussures, sucre, thé, etc., tout ce que le fermier ne peut produire lui-même.

Après l'Europe et les États-Unis, le Québec expérimente les effets de la révolution industrielle. Des usines ouvrent, le rythme de production s'accélère et le coût des produits devient plus abordable. Grâce aux progrès de l'hygiène et de la médecine, la population augmente rapidement.

Les grands magasins apparaissent ici à la fin du XIXe siècle, avec un peu de retard par rapport à l'Europe. C'est un phénomène des grands centres urbains, soit Montréal et Québec. À Montréal, l'Écossais Henry Morgan ouvre les portes du magasin Morgan en 1845, puis ce sera au tour d'Ogilvy d'ouvrir un commerce en 1866. Ces commerces sont la propriété de grandes familles. Ainsi, quatre générations de Morgan vont se succéder à la tête de l'entreprise avant qu'elle ne soit vendue, en 1960, à la Compagnie de la Baie d'Hudson. Les principes de vente et de fonctionnement de

Figure 1 – Le magasin Morgan, 1894

ces commerces sont sensiblement les mêmes que ceux des magasins français. Ici aussi, la vente par catalogue va devenir un des volets importants de l'entreprise.

Si l'on examine des photos datant des débuts des grands magasins, on constate que l'étalage est surtout fonctionnel (figure 2). La marchandise est rangée en piles ordonnées, mais la photo en noir et blanc ne nous permet pas de dire s'il y avait un souci de présentation par couleurs.

À la fin du XIXe siècle, à Québec, Marie-Louise et Zéphirin Paquet construisent un immeuble de six étages, doté d'un ascenseur et éclairé à l'électricité. Les 38 rayons de la Compagnie Paquet séduisent les consommateurs.

Dans l'est de Montréal, en 1868, Nazaire Dupuis inaugure un magasin à rayons qui vise un public francophone et qui fera concurrence, plus tard au XXe siècle, aux deux figures dominantes du commerce au détail, Eaton (1925) et Simpson, de Toronto, qui distribuent leurs somptueux catalogues au Québec.

En 1931, Pollack, un autre magasin à rayons, ouvre ses portes dans la Basse-Ville de Québec, près de Paquet. Victimes de la popularité des centres commerciaux, ces deux établissements réputés disparaîtront dans les années 1970.

Il faut aussi mentionner, au début des années 30, l'arrivée des 5-10-15 (des magasins où tout devait être vendu à 5, 10 ou 15 cents), les ancêtres de nos « magasins à 1 $ », qui ont sûrement influencé et développé l'esprit de la présentation massive de produits peu coûteux : « Ces magasins offrent une diversité de marchandises attrayantes et les disposent à la portée des clients afin qu'ils puissent les manipuler et les examiner à volonté. » (Jean-Marie Lebel, « Québec sous l'invasion des 5-10-15 », *Cap-aux-diamants,* hiver 1995, p. 55.)

Puis on assiste, au début des années 1960, à l'implantation des centres commerciaux au Québec. Ce mode d'organisation commerciale est en fait une version revue et corrigée à l'américaine des galeries et passages européens du XIXe siècle. L'idée est de fournir aux banlieusards, obligés d'utiliser leur voiture pour aller magasiner, un endroit où ils peuvent trouver, regroupé, tout ce dont ils ont besoin avec, en plus, un grand espace de stationnement.

Aujourd'hui, les grands magasins tels qu'on les a connus sont peut-être en voie de disparition. Les rayons sont moins nombreux, on voit disparaître la quincaillerie, la pâtisserie, le coin des livres et des disques, etc. L'arrivée de chaînes de magasins spécialisés, de commerces fondés sur des concepts nouveaux qui correspondent à une mentalité et à un style de vie différents est probablement en train de faire disparaître ces temples du négoce.

Figure 2 – Rayon de la mercerie chez Morgan, 1870

Figure 3 – Magasin de tissu, vers 1900

Quelles que soient les transformations qui affectent le commerce, la place de la présentation visuelle semble bien établie, car elle est le reflet de l'air du temps. D'activité spontanée et presque naïve qu'elle était à ses débuts, quand les étalages étaient réalisés par les vendeurs ou les vendeuses qui avaient le plus de goût, elle est devenue un métier reconnu à part entière puisqu'il existe désormais chez nous une formation sanctionnée par un diplôme d'études collégiales.

Figure 4 – Étalage fonctionnel d'articles de mercerie

QU'EST-CE QUE
LA PRÉSENTATION VISUELLE ?

1.1 À QUOI SERT LA PRÉSENTATION VISUELLE ?

Pour définir la présentation visuelle, il apparaît d'abord utile de la comparer à la publicité, avec laquelle elle partage un certain nombre de caractéristiques : toutes deux appartiennent au même univers et découlent du même esprit, leur principale préoccupation étant de persuader. Puis, une fois que le survol de leurs similitudes et de leurs différences aura permis de mieux comprendre les mécanismes et le mode de fonctionnement propres à la présentation visuelle, nous verrons les principaux éléments sur lesquels repose celle-ci.

■ LES POINTS COMMUNS ENTRE PRÉSENTATION VISUELLE ET PUBLICITÉ

La présentation visuelle et la publicité font partie d'un même réseau de techniques commerciales qui ont comme objectif premier de favoriser la vente. Elles ont en commun de présenter des produits et de les faire vendre, chacune par des stratégies et dans des contextes différents.

Dans une société de consommation où règne une certaine uniformité de produits et de marques, le designer de présentation et le publicitaire vont tous deux déployer leurs efforts et des trésors d'originalité pour faire en sorte que ces produits et ces marques sortent de la masse et deviennent objets de convoitise.

LA PUBLICITÉ EN UN CLIN D'OEIL

La publicité sert à la fois à faire connaître un produit ou à en rappeler l'existence et à persuader le consommateur qu'il doit se procurer telle marque plutôt que telle autre. Le contact que la publicité établit avec le consommateur passe toujours par un intermédiaire puisqu'elle utilise le support des grands médias : presse, télé, radio, affiches.

L'entreprise de persuasion de la publicité exploite presque toujours la même stratégie. Pour qu'un produit se distingue, dans notre société marchande où toutes les marques se valent et où tous les produits sont sensiblement de même qualité, il faut lui créer une « personnalité ». On a donc recours à la technique de l'association, dont le fonctionnement est simple : il suffit d'associer un produit à des individus, à des groupes, à des décors, à des objets dont les qualités évidentes et reconnues vont rejaillir sur lui, vont lui être transmises par contact ou par voisinage. C'est la création de ce que l'on appelle l'image de marque, image par laquelle le produit deviendra synonyme de quelque vertu ou qualité : distinction, fiabilité, luxe, robustesse malgré le petit prix, etc. Telle marque de montre associée à des vedettes de cinéma internationales faisant partie du jet-set fera briller l'idée du luxe, de la vie mondaine, de la réussite professionnelle.

La publicité jouera aussi de cette association à un niveau plus profond en cherchant à s'adresser à l'inconscient même du consommateur. Par des études et des recherches de toutes sortes, elle va tenter de connaître les besoins, les goûts et les désirs cachés ou non du consommateur. Le caractère fonctionnel d'un produit (une lame de rasoir qui rase, un fer à repasser qui repasse, un savon qui lave) va donc passer au second plan et c'est par le caractère symbolique de l'objet que la publicité va s'efforcer de séduire.

Par exemple, telle eau de toilette ne fera pas que parfumer; le fait de l'associer à l'eau bouillonnante d'un torrent rappellera inconsciemment quelque rite de purification, suggérera une idée de vitalité et de renouveau.

Voilà donc la stratégie la plus fréquente à laquelle recourt la publicité. Il faut préciser qu'une étude approfondie du phénomène publicitaire prendrait plus que les quelques lignes qui précèdent et auxquelles il faudrait apporter plusieurs nuances. Cet aperçu ne vise qu'à mettre en relief la technique la plus évidente de la publicité, qui est amplement reprise par la présentation visuelle, mais avec les moyens qui lui sont propres.

1.2 LE CHAMP D'ACTION DE LA PRÉSENTATION VISUELLE

Contrairement à la publicité, la présentation visuelle se fait sur les lieux mêmes de la vente. La présentation visuelle entre en contact direct avec le consommateur. Elle n'a recours à aucun média (presse, radio, télé, etc.) pour accomplir son travail.

À la fois méfiant et attiré par ce qu'il voit dans les magazines, dans les journaux et à la télévision, le consommateur veut vérifier le produit qu'on lui propose afin de se faire une idée plus juste de ce qu'on lui offre. La présentation visuelle possède un avantage certain sur la présentation en deux dimensions puisqu'elle montre la marchandise telle qu'elle est : le produit est là, dans sa forme, ses dimensions, ses couleurs bien réelles. Entre le moment où le consommateur prend connaissance du produit et celui où il entre en contact direct avec lui, son impulsion a le temps de se refroidir. Et c'est là qu'entre en jeu la mise en scène tridimensionnelle des produits. Je suis dans un magasin et le chandail que j'ai vu annoncé est là devant moi, mais la présentation visuelle ne me présente pas qu'un chandail, elle le décline dans une multitude de couleurs savamment organisées, elle l'éclaire sous son jour le plus attrayant. Et je n'ai qu'à tendre la main pour palper la douceur de son lainage...

La présentation visuelle, surtout celle que pratique le désigner-étalagiste, se fait donc sur les lieux même de la vente et consiste à exhiber avec art la marchandise afin de créer une pulsion d'achat chez le consommateur. Il s'établit d'abord un véritable jeu de séduction entre le marchand, qui offre, et le client, qui regarde. La suite logique est la mise en contact avec le produit, c'est-à-dire la possibilité et le plaisir de toucher l'objet convoité. C'est le point d'ancrage indispensable qui peut éventuellement mener à une vente.

La stratégie principale de la présentation visuelle sera donc de s'adresser directement aux sens – à la vue et au toucher en particulier – afin de provoquer l'immédiateté du désir. Pour un produit alimentaire – de la tarte aux pommes, par exemple –, l'initiative première de la présentation visuelle sera de susciter la tentation en mettant en valeur le beau doré de la croûte, en donnant l'illusion de la pâtisserie fumante et fraîchement sortie du four. On pourra aussi recourir à la technique de l'association tant utilisée par la publicité en plaçant le produit sur une toile de fond suggérant la nostalgie du « bon vieux temps » et de l'enfance chez grand-maman.

▪ ACHAT IMPULSIF VS ACHAT RÉFLÉCHI

L'achat réfléchi est planifié de longue date. Il s'agit généralement d'un achat important. Le consommateur pèse le pour et le contre, vérifie les prix, la qualité, la garantie, s'informe ou prend conseil auprès d'amis. Pour ce type d'achat, la présentation du produit perd de l'importance au profit de ses qualités et du service à la clientèle.

Mais qui, un jour ou l'autre, ne s'est pas laissé séduire par un nouveau gadget ou un produit qu'il n'avait pas l'intention d'acheter? Il s'agit alors d'un achat impulsif. Le consommateur succombera d'autant plus facilement à une proposition du fait qu'il est en contact direct avec un produit. Plus un produit est visible, plus il a de chances d'être vendu. Un exemple probant est celui de l'extrémité des allées dans les supermarchés, qui représente pour les clients l'endroit des nouveautés et des aubaines. L'extrémité des allées est un point stratégique pour la promotion d'un nouveau produit. Quel que soit le genre de présentation, l'étalagiste doit tenir compte de ce type de comportement qui pousse le consommateur à acheter sous le coup d'une impulsion.

À vrai dire, il n'existe pas de besoins réels pour une grande partie des produits que l'on trouve dans les magasins. Cependant, le commerçant doit vendre pour vivre, et le consommateur garde toujours en lui le goût d'acheter. La présentation visuelle va donc stimuler l'intérêt du consommateur et provoquer chez lui un besoin qui débouchera sur un achat; il s'agit d'un véritable tour de force compte tenu de la compétition impitoyable et de la clientèle, souvent gâtée matériellement et visuellement, dont les goûts et les habitudes évoluent constamment. C'est connu : la vente est un art, et la présentation visuelle, un de ses instruments de charme.

Mais la présentation visuelle ne sert pas qu'à mettre en valeur des produits et des articles. Elle met aussi ses ressources (couleurs, formes, éclairage, etc.) au service du commerçant qui cherche à se démarquer visuellement de ses concurrents et à répondre aux goûts d'une clientèle particulière. La présentation visuelle s'efforce de créer, à l'intérieur d'un commerce, une ambiance équivalente à l'image de marque en publicité, dans laquelle se reconnaîtra une clientèle cible.

■ LA CLIENTÈLE CIBLE

Les magasins et les boutiques, nous l'avons dit, offrent plus ou moins la même marchandise. Pour se distinguer de ses concurrents, un magasin doit donc se doter d'une image et d'un style à travers lesquels va se reconnaître un certain type de clientèle. C'est cette clientèle cible que le commerçant va tenter d'attirer; parfois, il se permettra même de cibler plusieurs types de clientèles. C'est ce que font, par exemple, les grands magasins par la subdivision de leur espace en îlots, créant ainsi une impression de diversité avec autant de petites boutiques.

Il existe généralement peu de différence entre les marchandises vendues dans les différentes chaînes de magasin. Par exemple, les boutiques de vêtements offrent les mêmes marques, les mêmes coupes et couleurs à la mode; seuls la qualité et les prix varient. Dans ce cas, pourquoi certaines marques se vendent-elles mieux que d'autres? Pourquoi certaines personnes portent-elles, bien visible, la griffe d'un vêtement ou le nom du magasin d'où il provient? Serait-ce l'image du magasin ou le prestige rattaché au nom du fabricant? Les clients du magasin X sont sophistiqués, innovateurs, élégants et visiblement bien nantis; les clients du magasin Y sont conservateurs, ils ont des goûts classiques et aiment la tradition. La présentation visuelle de chaque magasin a pour but de renforcer cette image auprès de la clientèle cible.

Les particularités d'une clientèle cible – âge, sexe, niveau d'instruction, revenus et classe sociale – ainsi que ses attentes et ses habitudes de consommation constituent les paramètres essentiels pour établir son profil. La façon la plus sûre de confirmer ses intuitions en matière de clientèle, d'achalandage et de concurrence est de commander une étude de marché à des spécialistes en *marketing*. La compilation de plusieurs données permettra de savoir si le commerce répond aux attentes du groupe ciblé et si ce dernier est assez important pour devenir une clientèle rentable. La concurrence de commerces semblables dans le même secteur représente une donnée non négligeable dans une telle étude de marché.

Une fois la clientèle ciblée, le commerçant doit concevoir une image globale de son établissement qui soit conforme aux goûts et aux besoins de cette clientèle. Nous le répétons : la présentation visuelle reflète l'esprit du magasin, et le rôle du designer de présentation est de présenter de façon concrète cet esprit.

■ L'AMBIANCE

Pour acheter, le consommateur souhaite se trouver dans un environnement qui lui plaise. L'aménagement intérieur du magasin doit correspondre à ses attentes, c'est-à-dire à l'image que le commerçant a projetée à travers la publicité et la vitrine de son établissement. Le personnel doit lui aussi refléter l'esprit et l'image du magasin.

L'éclairage joue un rôle de premier plan dans l'ambiance et l'image du magasin. Le chapitre 4 du présent ouvrage y est consacré. Disons simplement, pour l'instant, qu'un éclairage uniforme est perçu comme typique des magasins offrant des prix modiques. Les magasins entrepôts l'ont très bien compris. Sous un éclairage aux fluorescents, les produits semblent avoir été déposés un peu n'importe comment pour donner l'illusion qu'aucune dépense de présentation n'a été faite, une économie qui contribue à offrir les meilleurs prix.

La vitrine et l'avant du magasin sont évidemment des points cruciaux puisqu'ils sont bien en vue et créent tout de suite, chez le client, une bonne ou une mauvaise impression. Ces portions d'espace doivent faire l'objet d'un soin particulier de façon à donner aux clients le goût de s'aventurer plus loin dans l'établissement. La victoire, pour un designer-étalagiste, est d'arriver à faire entrer un client dans une boutique. Il sait qu'une fois à l'intérieur, l'objet désiré dans les mains, la personne intéressée s'en sentira déjà un peu la propriétaire.

■ LA VITRINE

La vitrine nécessite une attention particulière. Il ne faut pas oublier que 100 p. cent des clients potentiels la verront. La vitrine d'un magasin ou d'une boutique joue un rôle de premier plan dans la présentation visuelle. Elle se veut le reflet de ce qu'offre le magasin. La vitrine est en quelque sorte la carte professionnelle 3D du magasin.

Des études ont démontré que le commerçant n'a que 11 secondes pour capter l'attention d'une personne passant à pied. D'un seul coup d'œil, cette personne doit savoir de quel type de commerce il s'agit, à quelle clientèle il s'adresse, et avoir le goût d'y entrer. Il faut que le message soit clair, sans équivoque. Voilà pourquoi la vitrine doit être le reflet du type de commerce et de la clientèle ciblée. Par exemple, une vitrine trop sophistiquée nuira à un commerce bon marché : la clientèle potentielle, intimidée, n'y entrera pas. Le contraire est aussi vrai. La vitrine trop modeste d'un établissement chic n'attirera pas la clientèle que le détaillant veut rejoindre. Le consommateur sortira en se promettant de ne plus remettre les pieds dans un endroit aussi cher, tandis que le marchand se sentira frustré. Par ailleurs, le consommateur qui, attiré par une présentation extérieure alléchante, entre dans une boutique spacieuse décorée avec beaucoup de raffinement, s'attend à trouver des produits de qualité, un service hors pair et des prix en conséquence.

Il existe plusieurs types de vitrines, qui répondent à différents besoins. Les deux principaux sont la vitrine commerciale et la vitrine promotionnelle.

LA VITRINE COMMERCIALE

La vitrine commerciale, la vitrine la plus courante, a pour fonction de mettre en évidence des produits, de promouvoir une marque de prestige ou une nouvelle tendance, ou de créer une ambiance qui charme les passants et les incite à pénétrer à l'intérieur d'un magasin.

La présentation d'un produit ne supporte aucun mensonge. Le produit doit être montré tel qu'il est sous son meilleur jour, sans que sa forme, ses dimensions ni sa coupe (s'il s'agit d'un vêtement) ne soient altérées. Les étalagistes qui s'amusent à dénaturer les articles s'attirent les foudres des clients et des vendeurs. Par exemple, tricher sur la longueur d'une jupe ou encore dénaturer la couleur d'un objet en utilisant des éclairages colorés ne sont jamais des choix heureux. L'étalagiste doit aussi éviter de présenter un article qui n'est pas disponible en assez grande quantité, simplement parce qu'il veut créer une vitrine alléchante. Bien sûr, le client peut comprendre qu'une taille ou une couleur particulières soient momentanément épuisées, mais il est malhonnête de présenter systématiquement des articles non disponibles ou disponibles en quantité très réduite.

La vitrine d'ambiance ou de prestige joue un rôle tout à fait différent de la vitrine standard. Son rôle peut être de promouvoir le standing du magasin, de présenter des objets de luxe ou de suggérer un style de vie auquel les consommateurs aimeront s'identifier.

LA VITRINE PROMOTIONNELLE

La vitrine promotionnelle donne des informations sur des événements culturels ou sociaux comme une campagne de financement pour un musée ou pour un organisme sans but lucratif. S'il s'agit de la vitrine promotionnelle d'une boutique, d'un magasin à rayons ou d'un centre commercial, elle témoignera de l'intérêt dudit commerce pour ces causes communautaires. Comme ce genre de présentation consiste à renseigner et à sensibiliser le public, on y utilise surtout la photo, le graphisme, des schémas, etc. La vitrine promotionnelle ne diffère pas tellement d'une campagne de publicité 2D; ce sont, la plupart du temps, des affiches ou des photos liées à l'événement qu'elle va présenter – par exemple, des images de coureurs ou de formule 1 pour annoncer le Grand Prix. Toutefois, la vitrine promotionnelle permet de jouer avec des volumes et de l'éclairage : on pourra ajouter aux images un casque ou une combinaison automobile soulignés par un éclairage spécial rappelant peut-être les couleurs arborées par un coureur populaire.

LA VITRINE D'INFORMATION

La vitrine d'information sert à donner des renseignements sur un nouveau produit ou un nouveau service. Elle peut avoir les qualités de la vitrine d'ambiance ou de la vitrine commerciale. L'agence de voyages qui présente des forfaits est un bon exemple de ce type de vitrine.

LA VITRINE INSTITUTIONNELLE

La vitrine institutionnelle renseigne le passant sur une association, sur les services ou les fonctions d'une firme. Elle sert souvent à soutenir ou à présenter un organisme ou une entreprise, qu'on pense par exemple à Centraide ou à une compagnie d'aviation.

■ LA PLANIFICATION DES VITRINES

Selon l'achalandage, la durée de vie d'une vitrine est environ de deux à quatre semaines. Après ce temps, la vitrine ne remplit plus sa fonction de vendeur. Les passants réguliers l'ont vue à maintes reprises et connaissent par cœur sa marchandise. De plus, si la vitrine reçoit beaucoup de soleil, la couleur des objets et des vêtements s'altère. La poussière s'installe et donne un aspect négligé au commerce. La vitrine n'est plus rentable.

L'aménagement des vitrines et de l'intérieur du magasin doit être planifié soigneusement et changé aussi souvent que le budget le permet. Ces fréquentes modifications donneront au commerce une image dynamique. Pour rafraîchir une présentation, il est à conseiller de renouveler les marchandises au milieu d'une séquence. Si l'on prévoit, par exemple, garder la même présentation pendant trois semaines, on peut y apporter quelques éléments nouveaux au bout de dix jours.

La planification d'un calendrier promotionnel est très importante. Une présentation de produits en magasin faite parallèlement à une campagne de publicité dans les médias exige une planification à long terme pour en assurer la coordination et prévoir les délais d'approvisionnement de la marchandise. Plus la surface du magasin est importante, plus l'événement devra être organisé à l'avance et demandera une planification serrée. Cette entreprise publicitaire doit se faire en collaboration avec les acheteurs et, s'il y a lieu, avec le service de la publicité. Les contraintes d'une petite boutique sont évidemment beaucoup moins grandes. Les commerces qui n'engagent qu'un petit nombre d'employés peuvent souvent agir de façon ponctuelle. Par exemple, annonce-t-on de la pluie pour toute la prochaine semaine ? C'est le moment de faire une présentation de parapluies et d'imperméables.

Une nouvelle présentation apporte un vent de fraîcheur à travers toute la boutique. Les présentations intérieures étant presque toujours coordonnées aux vitrines, l'étalagiste doit connaître à l'avance les produits qu'il aura à présenter, leurs couleurs et les quantités qui seront disponibles afin d'établir un concept global. S'il y a lieu, un budget doit être prévu pour l'achat ou la location d'accessoires ou de présentoirs. Si un slogan est utilisé dans la publicité, l'étalagiste pourra s'en servir dans la création de son concept. Ainsi, pour une promotion de literie, le slogan « Plus blanc que blanc » utilisé dans les journaux et à la télévision sera rappelé dans la présentation 3D en vitrine ainsi qu'à l'intérieur du magasin.

Pour bien planifier le calendrier promotionnel annuel, il faut tenir compte des fêtes, des événements spéciaux et des saisons. Si la boutique s'y prête, les événements locaux doivent également être soulignés. Année après année, les mêmes thèmes sont régulièrement répétés jusqu'à devenir des clichés. Heureusement, la présentation visuelle est un art qui offre des milliers de variations sur des thèmes connus. Il appartient à l'étalagiste de créer ces nouvelles variations.

■ LES GRANDS THÈMES SAISONNIERS

Janvier : Voici la période des soldes après Noël, des vacances de neige et des départs pour les destinations soleil.

Février : La Saint-Valentin éclipse tout !

Mars-avril : Le printemps est dans l'air. La fête de Pâques est aussi un thème printanier. Le temps est venu de présenter les nouvelles marchandises.

Mai : Ce mois, riche en événements, rappelle avant tout la fête des Mères. C'est aussi le début de la saison des mariages et des cadeaux à offrir, celle de la remise des diplômes et des bals de fin d'études. L'été et les vacances qui approchent sont aussi des sources inépuisables d'inspiration pour le designer de présentation.

Juin : C'est le mois des soldes sur la marchandise printanière. Il faut également souligner la fête des Pères, les festivals de toutes sortes, les événements sportifs, les fêtes nationales.

Juillet : Voici la fin des soldes et un premier clin d'œil à l'automne avec un avant-goût des nouvelles tendances de la mode.

Août-septembre : La rentrée des classes est le thème qui domine ces deux mois avec l'annonce de fournitures scolaires de tous genres.

Octobre : Les citrouilles et les multiples objets illustrant l'Halloween sont présents dans la majorité des vitrines. On commence aussi à présenter des idées cadeaux pour Noël ainsi que des tenues de soirée.

Novembre : Noël prend toute la place ! Les suggestions d'idées cadeaux se multiplient, une profusion de jouets, de vêtements et de décorations envahit les magasins. Les présentations qui ont le plus de succès sont celles qui allient la tradition à la nouveauté. Les designers-étalagistes ont une occasion unique de se surpasser alors que plusieurs marchands font une bonne partie de leur chiffre d'affaires durant cette période.

Décembre : Encore Noël ! La lingerie se vend bien ainsi que les petits objets cadeaux de dernière minute. C'est aussi la période des achats impulsifs, dont certains aboutiront dans les bas de Noël, tandis que d'autres se transformeront en petits présents aux hôtes ou en compléments de cadeaux plus substantiels. À la mi-décembre commencent les soldes. Après Noël, quelques boutiques optent pour des présentations qui rappellent la nouvelle année.

Et ainsi le cycle recommence constituant un défi perpétuel pour la créativité du designer de présentation.

L'aménagement
d'un commerce

2.1 LE MARCHANDISAGE

Le marchandisage (*merchandising*) fait partie des différentes techniques de commercialisation (*marketing*) d'un produit. Comment le définir ? Il s'agit de l'« ensemble des techniques de présentation des marchandises s'appuyant sur l'analyse du comportement des consommateurs et visant à accroître l'écoulement des produits sur les points de vente », selon le *Petit Robert*. Les techniques de marchandisage concernent donc directement le designer de présentation, responsable de l'agencement et de l'exposition des produits dans une boutique ou un grand magasin. Le marchandisage est le dernier maillon de la chaîne publicitaire et il a pour but de faire vendre un produit. Il revêt donc une très grande importance.

■ LES ATTENTES DU CLIENT

Quand un client entre dans un magasin, il porte en lui, de façon consciente ou non, un certain nombre d'attentes concernant ce lieu, la marchandise qui s'y trouve et la transaction qu'il effectuera peut-être.

Il s'attend d'abord à ce que l'intérieur du magasin corresponde à ce que l'extérieur annonçait (on pense ici surtout à la vitrine); il s'attend ensuite à avoir, dès son entrée, une vue d'ensemble de la surface du magasin; il s'attend enfin à ce que tout soit propre et bien placé, à ce que la présentation des marchandises soit stimulante visuellement et à pouvoir trouver facilement ce qu'il cherche grâce à une disposition ordonnée qui facilite ses choix.

En ce qui concerne la marchandise, le client souhaite trouver les articles de même catégorie au même endroit, groupés par tailles, styles, couleurs, et les articles connexes, à proximité; il s'attend à trouver facilement les articles complémentaires, à ce que les indications soient claires sur les étiquettes et les affiches, et à ce que les articles en promotion soient disponibles et placés bien en évidence. Il est aussi normal que le client veuille faire affaire avec un vendeur informé, qui puisse au besoin lui indiquer les nouvelles tendances et les orientations du marché. Puis, s'il achète, le client s'attendra à ce que le comptoir-caisse soit facile d'accès.

2.2 LES INITIATIVES DU MARCHANDISAGE

Basé sur une bonne connaissance de la façon dont le client pense et agit, le marchandisage va proposer aux marchands quatre grands objectifs :

- créer une ambiance pour rejoindre la clientèle cible;
- présenter la marchandise de façon originale afin de piquer la curiosité du client;
- faciliter le magasinage pour stimuler les ventes;
- intégrer le personnel au processus de marchandisage.

■ CRÉER UNE AMBIANCE POUR REJOINDRE LA CLIENTÈLE CIBLE

L'atmosphère générale qui se dégage d'un magasin, la présentation de ses produits et l'attitude de son personnel constituent les trois éléments déterminants pour la fabrication d'une image et le succès d'une entreprise.

L'ambiance d'un établissement se crée par un savant dosage entre produits, couleurs, éclairage et musique; même l'affichage doit s'intégrer à l'atmosphère d'un commerce. Chaque détail contribue à l'expression du style d'un commerce et, pour le client, c'est souvent l'assurance que les articles qui y sont vendus sont au goût du jour ou, tout au moins, à son goût.

EXEMPLES DE DÉCORS VISANT DES CLIENTÈLES AU STYLE DE VIE DIFFÉRENT

■ **Clientèle cible** : *les amateurs de maisons de campagne*
La boutique propose des divans moelleux et des accessoires traditionnels, un brin romantiques; le confort est de rigueur, les couleurs sont chaudes.

■ **Clientèle cible** : *les amateurs de nouveautés, amoureux du design et très urbains*
La boutique propose des meubles aux formes épurées et des accessoires colorés, très design; le confort cède la place aux formes et aux lignes actuelles.

■ PRÉSENTER LA MARCHANDISE DE FAÇON À PIQUER LA CURIOSITÉ DU CLIENT

C'est là un objectif en fonction duquel le commerçant devra planifier et organiser chaque espace de son magasin. Il lui faudra également miser sur la séduction, qui favorise les achats impulsifs. En effet, il est prouvé que plus de 80 p. cent des achats résultent de présentations alléchantes. Une présentation est réussie quand la grande majorité des clients sort du magasin en ayant fait un achat, si minime soit-il.

Cultiver le sens du spectacle est essentiel pour produire des étalages séduisants. Les agencements de couleurs et le dynamisme des formes attirent la clientèle. Le réflexe de s'approcher et de toucher, souvent ponctué d'une exclamation d'étonnement, fait partie des plaisirs du magasinage.

Pour offrir un bon spectacle, la **première règle** consiste à trouver un thème à exploiter. Si, par exemple, les meubles de jardin de couleur verte sont à la mode, il sera essentiel de trouver des accessoires – vaisselle, nappes, fleurs, parasols, etc. – qui les mettront en valeur de façon à renforcer le message. La **seconde règle** consiste à exploiter le thème choisi dans une zone bien en vue et à avoir en stock suffisamment de marchandises pour répondre à la demande au cas où l'effet produit sur les ventes serait important.

■ FACILITER LE MAGASINAGE POUR STIMULER LES VENTES

La mise en place des produits doit leur apporter de la visibilité, mais elle doit aussi tenir compte des déplacements de la clientèle dans le commerce et de certaines constatations concernant la psychologie du consommateur.

OBSERVER LES PRINCIPES DE CIRCULATION
La progression du client à l'intérieur du commerce doit être organisée d'après ses tendances naturelles. Observons un client qui entre dans une boutique ou dans un magasin :

- il ne marche pas en ligne droite, il zigzague d'un étalage à l'autre et souvent il suit les murs;
- il revient rarement sur ses pas;

- ses yeux effectuent un balayage de gauche à droite (précisons qu'il faut 11 secondes pour séduire un client avec une présentation);
- il va d'abord vers la droite du magasin et revient par le côté gauche (80 p. cent des personnes agissent de la sorte, d'où l'intérêt d'installer le comptoir-caisse à gauche de l'entrée).

Le magasin doit être facile d'accès. L'idéal est de garder une allée de circulation libre jusqu'au fond du magasin pour donner de la visibilité à tous les produits en vente. Si l'entrée est embarrassée par de multiples embûches, comme de la marchandise ou des vendeurs, les clients hésiteront à franchir ce « mur psychologique » pour s'aventurer dans le magasin. Chez le consommateur, un réflexe très courant consiste à craindre de se sentir coincé, de devoir entamer la conversation avec un vendeur sans en avoir envie, d'être obligé d'expliquer longuement ce qu'il souhaiterait trouver ou, à la limite, de se sentir moralement obligé d'acheter.

CRÉER DES ENSEMBLES
Les articles complémentaires par leurs formes ou leurs couleurs doivent être rapprochés les uns des autres, car le fait de créer des ensembles stimule les ventes et présente l'avantage, pour le client, de n'avoir pas à s'éparpiller pour trouver ce qu'il cherche. Il est donc important de créer des ensembles et de ne pas hésiter à changer de place un produit invendu. Le défi des techniques de marchandisage et de la présentation visuelle consiste également à mettre en valeur les produits qui se vendent moins rapidement.

Si, par exemple, dans une boutique d'articles de cuisine, les assiettes blanches à petites fleurs mauves ne se vendent pas, il faut se demander pourquoi. Sont-elles bien mises en évidence ? Le client ignore-t-il comment il pourrait les agencer ? En changeant les assiettes de place et en les posant sur des napperons et des serviettes de table vert foncé, un rappel de verdure, on augmentera leurs chances de vente. Les clients habituels s'étonneront : « Vous avez reçu de la nouvelle marchandise ? »

RENDRE LA MARCHANDISE ACCESSIBLE

À moins de vendre des produits exclusifs ou des œuvres d'art, on doit éviter à tout prix le style « musée ». Selon une approche typiquement américaine, le client doit pouvoir s'approcher et toucher les produits sans avoir l'impression de déranger les présentations, de risquer de tout casser ni d'embêter les vendeurs. Les pliages savants de vêtements découragent la clientèle, car rien n'est plus rebutant que de tenter de refaire un pliage sous le regard réprobateur du commis.

PRÉVOIR DES STOCKS SUFFISANTS

Une présentation attirante doit offrir une bonne quantité de la marchandise en montre - par exemple, des vêtements dans toutes les tailles et les couleurs - de façon à faciliter le choix du consommateur. Il est inutile pour un marchand de faire la promotion d'un article qu'il ne possède pas en quantité suffisante. Les clients reviendront volontiers dans une boutique où ils peuvent trouver facilement ce qu'ils cherchent.

■ INTÉGRER LE PERSONNEL AU PROCESSUS DE MARCHANDISAGE

Le personnel peut renforcer ou détruire tous les efforts de marchandisage d'une entreprise. Il doit donc être à l'aise et en accord avec le plan de marchandisage de celle-ci. Le processus de marchandisage exige une attention quotidienne dont les employés auront la responsabilité. S'ils ne sont pas convaincus du bien-fondé de cette démarche ou si celle-ci est confuse ou non fonctionnelle, elle ne pourra être maintenue très longtemps, particulièrement en période de pointe, aussi intéressante que soit la présentation.

2.3 L'ÉTALAGE À L'INTÉRIEUR D'UNE BOUTIQUE

L'aménagement d'un magasin résulte d'un travail de planification rigoureux, qui tient compte des chiffres de vente par catégorie de produits, de l'espace disponible, de la disposition des étalages et de la façon dont se déplacent les clients à l'intérieur de l'établissement.

■ L'AMÉNAGEMENT D'UNE SURFACE DE VENTE

Dans un magasin, la disposition de la marchandise est déterminée par la rentabilité d'un produit, c'est-à-dire en fonction de ses ventes au mètre carré. Certains articles possèdent un potentiel élevé de vente et de rentabilité; d'autres ont un potentiel moindre. Ainsi, le profit sur la vente d'un tailleur Chanel sera évidemment supérieur à celui qu'apporte la vente d'une paire de bas à 5 $; on dira donc que le potentiel de rentabilité du tailleur est plus élevé que celui de la paire de bas.

Dans l'attribution de l'espace aux marchandises, celles-ci doivent être disposées dans des zones correspondant à leur pouvoir d'attraction sur la clientèle et aux profits qu'elles génèrent. On peut résumer le principe par l'équation suivante :

rentabilité (marge de profit) = **ventes au mètre carré**

On définira la **rentabilité** comme la marge de profit que génère la vente des produits. Elle est calculée selon le volume de ventes au mètre carré.

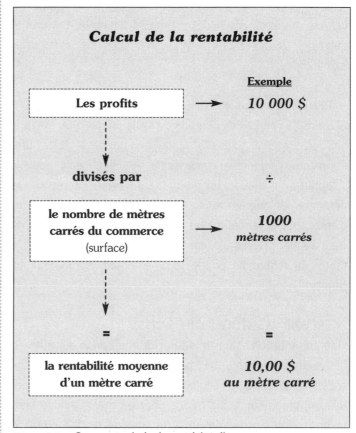

Figure 2.1 – Comment calculer la rentabilité d'un commerce

La **marge de profit** est ce qui reste au marchand après avoir payé la marchandise, le loyer, les taxes, les assurances, le salaire des employés, etc.

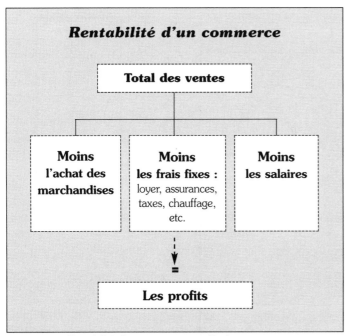

Rentabilité d'un commerce

Total des ventes

Moins l'achat des marchandises

Moins les frais fixes : loyer, assurances, taxes, chauffage, etc.

Moins les salaires

=

Les profits

Figure 2.2 – Rentabilité d'un commerce au détail

LES ZONES D'ATTRACTION

Dans un magasin, les principales zones d'attraction sont les entrées, l'extrémité des allées et les comptoirs-caisses, des endroits où les clients s'arrêtent. On doit également tenir compte du fait qu'en entrant dans un magasin 80 p. cent des gens dirigent leurs pas vers la droite. Ainsi, placer à l'entrée les produits promotionnels accompagnés de produits complémentaires est souvent rentable. On peut mettre les produits de base à l'arrière de l'établissement, car les clients savent que le magasin les tient. Les murs et les colonnes sont également des zones d'attraction. Le client les aperçoit de loin et, pour s'en approcher, il doit traverser d'autres zones et découvrir différentes marchandises (figure 2.3).

Octave Mouret applique intuitivement certains principes de vente et de commercialisation de la marchandise. L'histoire a été écrite en 1883 !

Mais où Mouret se révélait comme un maître sans rival, c'était dans l'aménagement intérieur des magasins. Il posait en loi que pas un coin du *Bonheur des Dames* ne devait rester désert; partout, il exigeait du bruit, de la foule, de la vie; car la vie, disait-il, attire la vie, enfante et pullule. De cette loi, il tirait toutes sortes d'applications. D'abord, on devait s'écraser pour entrer, il fallait que, de la rue, on crût à une émeute; et il obtenait cet écrasement, en mettant sous la porte les soldes, des casiers et des corbeilles débordant d'articles à vil prix; si bien que le menu peuple s'amassait, barrait le seuil, faisait penser que les magasins craquaient de monde, lorsque souvent ils n'étaient qu'à demi pleins. Ensuite, le long des galeries, il avait l'art de dissimuler les rayons qui chômaient, par exemple les châles en été et les indiennes en hiver; il les entourait de rayons vivants, les noyait dans un vacarme. Lui seul avait encore imaginé de placer au deuxième étage les comptoirs des tapis et des meubles, des comptoirs où les clientes étaient plus rares, et dont la présence au rez-de-chaussée aurait creusé des trous vides et froids. S'il en avait découvert le moyen, il aurait fait passer la rue au travers de sa maison.

Émile Zola, *Au Bonheur des Dames*

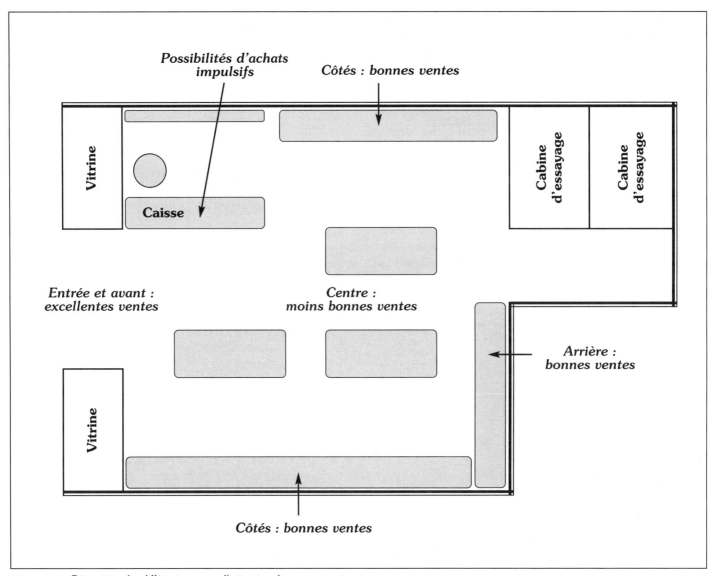

Figure 2.3 – Répartition des différentes zones d'attraction dans un magasin

Voici, parmi plusieurs, un exemple d'attribution d'espace en fonction de l'article présenté : on a le choix de mettre en vedette des chemises de la saison dernière en solde ou des chemises d'un nouvel arrivage vendues à plein prix. Que faire ?

Les chemises de la saison dernière en solde, donc peu rentables, ne doivent pas occuper une zone d'attraction qui conviendrait aux chemises de la saison, sauf pour de courtes périodes. Pour obtenir un profit X, il faudra vendre plusieurs chemises en solde, alors que la vente d'une seule chemise d'une nouvelle collection sera tout aussi rentable. En outre, les nouveautés attirent les clients et renforcent l'image du magasin.

LES AUTOMATISMES DU CONSOMMATEUR

Le marchandisage s'adresse aux gens et se base sur la connaissance de leurs automatismes. Il faut ainsi tenir compte du gabarit de l'être humain pour créer un étalage efficace. La taille moyenne (homme/femme) se situe autour de 5 pi 5 po (1,60 m); la hauteur moyenne des yeux est donc à environ 5 pi (1,5 m). C'est une donnée de base qu'il ne faut jamais oublier.

La présentation d'un produit est réussie quand le client peut apprécier l'utilité, la qualité, la valeur et la nouveauté du produit d'un seul coup d'œil.

Les consommateurs sont paresseux : devant un étalage, ils se penchent peu et vont rarement chercher un produit placé plus bas que leurs genoux. Même réflexe pour les produits placés très haut. On peut établir l'accroissement ou la diminution des

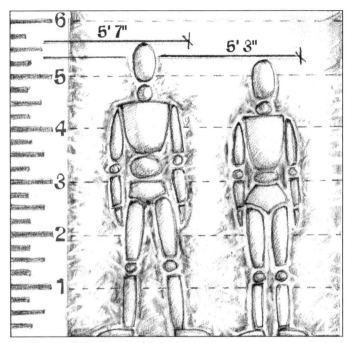

Figure 2.4 – *Taille moyenne des personnes*

ventes, selon la hauteur des produits. Autre particularité du comportement des consommateurs devant un étalage : la vente des objets placés à droite est de 80 p. cent supérieure à celle des articles placés à gauche.

Cependant, le besoin de rentabiliser l'espace oblige parfois les marchands à composer avec les surfaces basses et les surfaces élevées. Dans la mesure du possible, ces surfaces doivent être utilisées pour mettre des articles déjà placés à portée de la main. Difficiles d'accès, elles peuvent aussi servir d'espaces d'entreposage.

LA QUANTITÉ DE MARCHANDISES À PRÉSENTER

Le type de commerce détermine la quantité de marchandises à mettre en valeur. Les magasins de vente au rabais présentent généralement beaucoup de marchandises. Les produits offerts sont bon marché et génèrent peu de profits au mètre carré, d'où la nécessité d'étaler un grand nombre de ces produits. À l'opposé, les présentations dans les boutiques de luxe sont généralement plus dépouillées. Les clients s'attendent à voir des exclusivités et il serait mal venu de faire le même genre de présentations que dans les magasins de vente au rabais. De même, la marge de profit sur la vente de ces produits justifie des présentations plus aérées. Mais il faut éviter de créer une apparence de vide. Certaines boutiques donnent l'impression que la marchandise vendue n'a pas été remplacée ou que le magasin est au bord de la faillite.

Extrait de *Monsieur Ibrahim et les fleurs du Coran*

— C'est fou, monsieur Ibrahim, comme les vitrines des riches sont pauvres. Y a rien là-dedans.
— C'est ça, le luxe, Momo, rien dans la vitrine, rien dans le magasin, tout dans le prix.

Éric-Emmanuel Schmitt,
Monsieur Ibrahim et les fleurs du Coran,
éditions Albin Michel

2.4 L'ÉTALAGE SUR LES TABLETTES

Partant de ce que nous connaissons du consommateur – sa taille, ses réflexes (notamment visuels et perceptifs) et ses attitudes –, nous verrons maintenant les façons les plus efficaces de composer des étalages sur les tablettes.

■ L'ÉTALAGE HORIZONTAL

Nous savons que l'œil effectue un balayage latéral (de gauche à droite) plutôt que vertical. Le client qui regarde de loin un étalage horizontal n'aperçoit que les produits placés sur les tablettes les plus hautes; s'il s'approche, il n'explore que les tablettes qui sont au niveau de ses yeux et ignore les produits placés plus haut et plus bas. Les étalages horizontaux sont généralement les moins efficaces, quoiqu'une rotation des produits puisse en améliorer la visibilité. Le poids ou le volume de certains objets peut toutefois justifier le choix de la présentation horizontale.

Si l'on présente des vêtements pliés sur un étalage horizontal, il faut placer les tailles de gauche à droite, de la plus petite à la plus grande (petite, moyenne, grande, extra grande).

Figure 2.5 – Présentation à l'horizontale

■ L'ÉTALAGE VERTICAL

L'étalage vertical permet au client qui circule dans le magasin de voir la marchandise d'un seul coup d'œil, ce qui facilite son choix. Lorsqu'il s'approche de l'étalage, il peut découvrir et toucher les articles placés au niveau de ses yeux et de ses mains.

C'est la façon de faire la plus dynamique, et celle qui donne les meilleurs résultats de vente.

Si l'on veut utiliser l'étalage vertical pour montrer des vêtements pliés (tricots, chemises, etc.), il faut placer les tailles de haut en bas, de la plus petite à la plus grande (petite, moyenne, grande, extra grande).

Figure 2.6 – Présentation à la verticale

■ L'ÉTALAGE PAR BLOCS, PAR FAMILLES DE PRODUITS OU PAR THÈMES

La présentation par blocs devient nécessaire quand la faible quantité de produits ne permet pas de travailler à la verticale ou, au contraire, lorsqu'on offre beaucoup d'articles de marques différentes. Prenons, par exemple, le rayon des shampoings dans une pharmacie ou celui des chaussettes dans un magasin à rayons. Il est important, pour présenter ces articles, de garder une certaine symétrie et un certain ordre en regroupant les formes et les couleurs semblables pour éviter que l'ensemble ait un aspect désordonné.

L'ESTHÉTIQUE DES PRÉSENTATIONS
Dans la présentation de produits identiques, mais de couleurs différentes, la règle est de placer :

les couleurs pâles devant les couleurs foncées;

ou

ce qui est pâle à gauche et ce qui est foncé à droite;

ou

les couleurs chaudes à gauche et les couleurs froides à droite.

Si les produits viennent en différents formats, la règle est de placer :

les grands formats derrière les petits.

Figure 2.7 – Présentation par blocs

2.5 LA PRÉSENTATION DE LA MODE

Auparavant, l'aménagement d'une boutique de vêtements était une chose simple : on regroupait un même type d'articles – chemisiers, pantalons ou jupes – et on les classait par tailles. Aujourd'hui, la preuve est faite que les regroupements par blocs – styles et couleurs – favorisent l'achat. Ils permettent aux clients de mieux apprécier les vêtements et leur suggèrent des agencements.

■ LES CONCEPTS « BOUTIQUE » ET « STYLE DE VIE »

Les techniques de commercialisation de la mode reposent sur deux concepts de base : le concept « boutique » et le concept « style de vie » (*Life Style*).

Le concept « boutique » regroupe par blocs le même type de produits de façon à obtenir un meilleur effet visuel et à attirer l'attention du client. La boutique peut être aménagée dans un grand magasin à rayons ou dans un petit établissement. Une section du magasin, le rayon des foulards et des gants pourra, par exemple, donner l'impression qu'il s'agit d'une boutique spécialisée dans la vente de ces articles.

Le concept « style de vie » évoque une façon de vivre ou un certain type d'activité. Ce sont souvent les grandes marques qui suggèrent un style de vie, avant tout par des vêtements associés à une allure vite reconnaissable (le style romantique moderne de la collection Ralph Lauren, par exemple), mais aussi par un décor et toute une gamme de produits et d'accessoires assortis (parfum, bijoux, draps, serviettes, etc.). On peut penser aussi aux tenues sportives de Roots : chemises à carreaux, bottines d'excursion qui évoquent la vie au grand air et qui sont présentées dans un décor rustique, en pleine nature sauvage devant un chalet en rondins...

■ LES TECHNIQUES DE PRÉSENTATION EN MAGASIN

Il importe d'observer un certain nombre de règles de base en ce qui concerne la présentation des vêtements en magasin :

- les vêtements placés les plus bas doivent être à 4 po (10 cm) du sol;
- les vêtements disposés verticalement (de profil) doivent faire face à l'entrée de la boutique ou d'une section du magasin, en tenant compte du sens de la circulation;
- les cintres doivent être accrochés dans le même sens;
- les ensembles, qu'ils soient présentés sur des cintres ou sur des présentoirs, doivent être exposés au bout d'une allée, et de face, pour une meilleure visibilité et pour donner une idée juste de l'ensemble (voir, plus loin, la section sur la superposition);
- la marchandise doit toujours être accessible;

- dans un étalage vertical, l'ordre logique consiste à placer les robes, les jupes et les pantalons en bas, et les chemisiers et les vestons en haut, le tout rangé selon le style, la couleur, la taille et la longueur de manches;
- on obtient un plus grand effet visuel en utilisant des mannequins ou des bustes, à condition que la marchandise ainsi exposée soit, sinon à portée de la main, tout au moins suspendue à des présentoirs avoisinants. On peut même installer un affichage adéquat, au besoin.

Il peut être intéressant d'utiliser les colonnes et les murs pour réaliser des présentations qui susciteront l'étonnement du consommateur ou qui piqueront sa curiosité. Intrigué, celui-ci devra traverser plusieurs sections du magasin pour accéder à la présentation. Chaque mur et chaque colonne doit présenter un groupe de vêtements (pantalon, blazer, chemise, chandail, jupe) dans un ordre logique. Ces zones doivent être réservées aux articles de choix, elles sont trop importantes pour ne servir qu'à exhiber des articles en solde.

LA SUPERPOSITION (*LAYERING*)

Le terme « superposition » désigne l'agencement de vêtements coordonnés de façon à créer une « allure ». Cette technique répond à deux objectifs :
- suggérer l'achat de vêtements complémentaires;
- rendre plus vivante la présentation de vêtements.

La superposition convient aux présentoirs situés à l'extrémité des allées, à l'avant des boutiques et dans les zones

Figure 2.8 – Présentation de vêtements en superposition

d'attraction. On limite généralement à cinq le nombre d'articles qui composent une « allure ». Parfois, selon le style de vêtement, on devra limiter à trois le nombre de pièces à superposer.

On peut composer des superpositions sur un mannequin, un buste, un présentoir ou même sur un cintre. Cependant, certains vêtements, notamment les tenues de soirée et les robes de mariée, ne se prêtent pas à la superposition. Dans ce cas, il vaut mieux les présenter par couleurs ou par modèles.

LES REGROUPEMENTS PAR COULEURS

Dans une présentation visuelle, la couleur est l'élément le plus simple et le plus efficace. Les regroupements par couleurs attirent l'œil, font paraître le magasin ordonné et facilitent le choix. Pour donner un style à la présentation, il suffit souvent d'opter pour deux ou trois couleurs dans plusieurs groupes de vêtements et de les installer sur un présentoir ou sur une section murale.

On peut aussi composer des blocs de couleurs pour regrouper une marchandise unique. La façon la plus efficace de réussir une présentation verticale consiste à placer les couleurs pâles à gauche en allant vers les couleurs foncées à droite.

Figure 2.9 – Dégradé des tons, des couleurs pâles aux couleurs foncées

■ LES PRÉSENTOIRS

L'aménagement d'un magasin ne serait pas complet sans mobilier de présentation. La couleur, la texture et le design de ce mobilier doivent convenir aux produits et aux vêtements exposés. Les designers conçoivent du mobilier exclusif pour les boutiques de luxe. Il ne sera question ici que des présentoirs standard.

> Les présentoirs doivent loger un vêtement au pouce linéaire.

LES PRÉSENTOIRS EN T

À l'avant de la boutique ou devant un rayon, les présentoirs en T sont parfaits pour exposer un ensemble de vêtements.

On retiendra les principes suivants pour une présentation réussie :
- Les présentoirs ne doivent pas bloquer la vue.
- La partie supérieure du présentoir doit faire face à l'entrée.
- La marchandise est présentée par styles ou par couleurs.
- Les vêtements sont rangés selon leur taille, en commençant par la plus petite.
- Les présentoirs doivent toujours être pleins.

LES PRÉSENTOIRS À QUATRE BRANCHES

On utilise les présentoirs à quatre branches à l'intérieur d'un rayon ou d'une section. Ils peuvent servir à présenter un groupe de vêtements coordonnés (tout comme les présentoirs circulaires) ou une quantité importante de la même famille de vêtements (chemisiers, robes ou jupes).

Voici quelques règles de base à retenir :
- Les branches basses doivent être devant, les hautes, derrière.
- Les cintres sont tous accrochés dans le même sens.
- Des accessoires doivent accompagner les vêtements d'un présentoir faisant face à une allée.
- Les présentoirs ne doivent pas être surchargés.
- Il est important de conserver un espace de circulation autour des présentoirs.

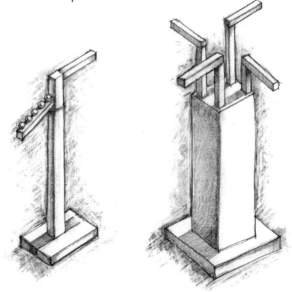

Figure 2.10 – Présentoirs en T et à quatre branches

LES PRÉSENTOIRS CIRCULAIRES OU SEMI-CIRCULAIRES

Ces présentoirs, utiles pour les soldes, doivent être placés au fond de la boutique ou d'un rayon. Ils sont disponibles en plusieurs tailles (diamètre et hauteur) et peuvent contenir une grande quantité de vêtements.

À retenir :

- Pour éviter le désordre, il est nécessaire d'y placer des vêtements de même style, de même couleur et de même texture, et de tenir compte de la longueur des manches.
- S'il y a peu de vêtements à présenter, on optera plutôt pour un présentoir en T.
- Pour le coup d'œil, il faut harmoniser les couleurs à chaque moitié ou quart de cercle.
- Il est important de conserver un espace de circulation autour des présentoirs.

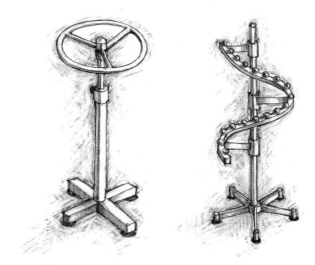

Figure 2.11 – Présentoirs circulaire et en spirale

CUBES, TABLES ET GONDOLES*

Ces pièces de mobilier d'étalagiste servent à présenter de la marchandise pliée ou emballée, de petits objets ou des accessoires comme des sacs, des chaussures ou des foulards.

Elles sont très polyvalentes, faciles à déplacer, et on les trouve dans tous les genres d'établissements commerciaux. On peut s'en servir avec divers accessoires décoratifs, comme des bustes ou des présentoirs de table, pour agrémenter les présentations.

Les cubes sont fabriqués en verre, en bois ou en d'autres matériaux.

Un bon étalagiste se rappellera qu'il ne faut jamais laisser des cubes vides.

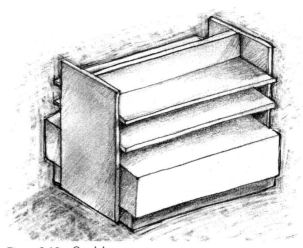

Figure 2.12 – Gondole

---

* Voir, plus haut, la section concernant les présentations verticale, horizontale et par blocs.

LES MURS ET LES COLONNES

Rappelons-le, l'utilisation des murs et des colonnes a pour but d'attirer le client vers ces espaces par une présentation dont l'effet visuel est puissant, ce qui l'amène à traverser la zone centrale du magasin et à découvrir au passage d'autres marchandises.

Il faut cependant respecter certains grands principes si l'on veut que ce type de présentation soit efficace :

- La marchandise présentée sur les murs et les colonnes doit être très visible de l'allée principale ou de l'entrée et elle doit représenter, tant par le style que par la couleur, une tendance de la mode ou un thème saisonnier.
- Une section murale équilibrée et symétrique offre un aspect naturel et soigné. L'utilisation de la symétrie est la façon la plus simple d'obtenir un effet visuel et de présenter nettement la marchandise.
- La largeur standard d'une section d'unité murale est de 24 po (60 cm). C'est par groupe de trois ou de cinq qu'on utilise ces unités.
- Un système d'éclairage mural en lave-mur (*wallwashing*; voir le chapitre 4) ajoute un attrait supplémentaire à une unité murale.
- Dans la planification d'un mur, on applique les mêmes règles d'esthétique que pour les autres types de présentoirs déjà mentionnés : vêtements à un minimum de 4 po (10 cm) du sol, hauteur accessible, pliage impeccable, cintres et crochets tournés vers le mur, vêtements faisant face à l'entrée du rayon ou du magasin.

Finalement, les unités murales peuvent servir de solution de dépannage :

- Les unités murales possèdent le grand avantage d'être polyvalentes. Selon la marchandise et les saisons, on peut varier leur utilisation à l'infini : tablettes, tringles, chutes, bras droits, crochets à chapeaux ou à bijoux, etc.
- Les unités murales peuvent servir à la présentation de vêtements coordonnés (styles, couleurs) et d'accessoires ainsi qu'à la présentation de marchandises placées à des endroits difficilement accessibles à la clientèle.

▪ LA VITRINE

Il existe de nombreux formats et types de vitrines. Chacun possède des avantages et des désavantages. Le choix de la dimension de la vitrine est souvent dicté par le nombre d'articles à y présenter. Pour l'étalagiste, la vitrine qui offre le plus de possibilités est sans contredit la grande vitrine fermée, comme celle des grands magasins. Au gré des saisons et des événements, elle devient un théâtre où, sous des éclairages sophistiqués, campent des tableaux imaginés pour séduire les passants.

LE PLANCHER DE LA VITRINE

La plupart du temps, le plancher de la vitrine doit être surélevé de 8 à 24 po (de 20 à 60 cm), afin d'éviter que les gens aient à se pencher pour voir la marchandise, de rendre la marchandise visible pour les passants motorisés et d'accentuer l'effet de la présentation.

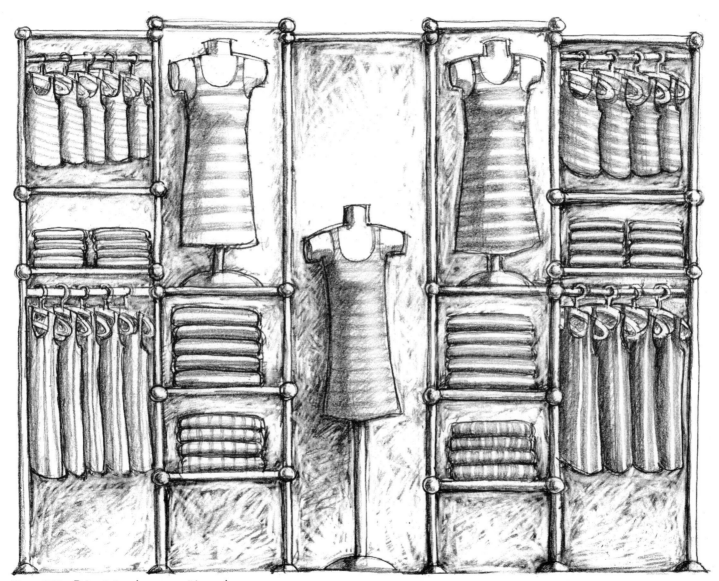

Figure 2.13 – Présentation dans une unité murale

Les matériaux suivants peuvent servir à fabriquer ou à recouvrir le plancher de la vitrine :

- parquet verni;
- tapis de couleur neutre;
- contreplaqué;
- carreaux de vinyle;
- carreaux de céramique;
- homasote, si le plancher permanent n'est pas utilisable tel quel. Selon les besoins de la vitrine, l'homasote peut être peint ou recouvert de tissu, ce qui évitera éventuellement d'endommager le plancher existant. L'utilisation de l'homasote est une façon rapide et économique de changer l'aspect d'une vitrine.

Les vitrines des nouvelles boutiques n'ont habituellement ni mur de fond ni murs latéraux. Cette tendance est dictée par l'étroitesse des façades. En plus d'assombrir l'intérieur de la boutique, les murs de fond et de côté créent une barrière psychologique, empêchant le passant de voir ce qui se passe dans l'établissement. Cela peut constituer un désavantage en terme de sécurité, car il n'y a souvent qu'une seule personne pour assurer la permanence à l'intérieur d'une petite boutique. Si l'on veut absolument un mur de fond, le mur étroit peut alors être le compromis idéal.

LE PLAFOND DE LA VITRINE
Les anciens magasins possèdent en général des plafonds très hauts, faits de matériaux durs (plâtre, ciment, etc.). En y regardant de près, on peut même remarquer les traces laissées par tous les étalagistes qui ont essayé de clouer, de visser, de brocher des objets. La façon la plus efficace de suspendre des articles dans les vitrines qui ont d'aussi hauts plafonds (même celles de magasins plus récemment bâtis) consiste à installer une grille à la hauteur désirée. Le plafond et la grille sont habituellement peints d'une couleur foncée et mate, ce qui a pour effet de les rendre moins apparents. La grille peut servir occasionnellement à suspendre des projecteurs. Pour les boutiques qui ont un plafond en gypse, l'accrochage n'est possible que si l'on se sert de vis pour le carton-plâtre. Il est indispensable que l'étalagiste demande au propriétaire de la boutique la permission d'utiliser le plafond, surtout s'il est neuf. S'il est impossible de suspendre quoi que ce soit, un paravent ou un podium autoportant devient la seule solution possible.

Tout magasin désireux de se tailler une place dans l'univers du commerce et de s'y maintenir ne pourrait se passer des acquis du marchandisage et de ses techniques qui sont devenus la préoccupation de tous les types d'établissements, petits et gros. Pour mettre en place une stratégie de marchandisage, il faut, comme on le sait, connaître le profil de sa clientèle et son comportement, afin de satisfaire ses besoins en matière d'achat; c'est pourquoi le marchandisage reste sans cesse à l'affût du comportement du consommateur et cherche à le connaître jusque dans ses zones les plus obscures.

Rappelons que la présentation des produits en magasin part d'une logique simple et de techniques qui s'adressent aux sens plutôt qu'à l'intellect. Un des éléments particulièrement efficaces pour susciter une réaction organique très vive chez l'acheteur est la couleur. Ce sera l'objet du prochain chapitre.

LA COULEUR

3.1 LA COULEUR DANS TOUS SES ASPECTS

Michel Eugène Chevreul (1786-1889), chimiste de renom, directeur des teintures à la manufacture Les Tapisseries des Gobelins de Paris, contribua largement à l'évolution de l'art de la couleur. Il découvrit que certaines lois gouvernaient les effets visuels des couleurs juxtaposées les unes aux autres : contrastes simultanés, contrastes successifs et mélange optique des couleurs. Partant de cette constatation, il suggéra des façons d'utiliser les couleurs et les harmonies de couleurs. Les suggestions de Chevreul présentent aujourd'hui encore un très grand intérêt. Certains impressionnistes, tels Monet et Pissaro, rejetèrent ces théories qu'ils trouvaient trop intellectuelles, tandis que d'autres peintres, comme Seurat, tentèrent de les appliquer.

■ UN PEU D'HISTOIRE

En 1666, Isaac Newton démontra que les couleurs étaient produites par la lumière. L'homme de science découvrit qu'en faisant passer un rayon de lumière blanche à travers un prisme on obtenait un spectre de sept couleurs différentes (le spectre solaire). Et, si ces couleurs traversaient un autre prisme, on avait à nouveau une lumière blanche. Ainsi, les couleurs ne sont pas celles de l'objet, mais celles de la lumière – un corps immatériel – qui permet de les voir, ou celles de la réflexion de la lumière sur une surface donnée.

En 1801, Thomas Young apporta des éléments nouveaux à la découverte de Newton, suggérant que la couleur se répandait en ondes, chaque longueur d'onde représentant une couleur spécifique. « Young indiqua que l'œil interprétait les couleurs selon un principe trichrome, à l'aide de trois groupes de fibres nerveuses. Chacun sert de récepteur pour l'une des couleurs primaires – rouge, bleu ou vert – en subissant partiellement l'influence des deux autres. Young émit l'hypothèse que c'est la rétine de l'œil qui répond aux ondes lumineuses : la sensation colorée dépendant de la fréquence et de la longueur de chaque onde. » (Le livre de la photo couleur Larousse Montel, 1980)

Pendant 50 ans, on oublia les travaux de Young jusqu'au jour où l'Allemand Hermann von Helmholz reprit ses théories.

Helmholz effectua une série d'expériences rigoureuses et publia, en 1888, la théorie Young-Helmholz de la vision des couleurs.

■ L'ASPECT PHYSIQUE DE LA COULEUR

Du point de vue de la physique, on peut donc dire que la lumière, combinée avec une longueur d'onde donnée, crée la couleur. Ce phénomène produit une sensation sur l'œil et influence notre perception de l'espace, des formes, des textures et des couleurs. L'œil peut capter des millions de teintes différentes.

Dans une présentation visuelle, il ne faut donc pas avoir peur de miser sur la couleur pour attirer le regard. Une tache de couleur peut produire un effet saisissant et attirer l'attention sur un point spécifique de la vitrine ou de l'étalage. Par la suite, l'œil explorera l'environnement de cette tache et fera le tour de la présentation. Vous aurez atteint votre objectif !

■ LA COULEUR ET LES CULTURES

La perception et la signification des couleurs varient selon les circonstances, les expériences ou les cultures. Par exemple, en Occident, le blanc est associé à des événements heureux comme la naissance et le mariage, alors qu'il est la couleur du deuil en Chine. Le vert est la couleur du sacré des musulmans. À la Renaissance, le vert était un symbole de fertilité. Le rouge est la couleur du mariage en Chine. Le bleu est la couleur préférée de bien des Occidentaux.

Certaines couleurs sont associées à des pays ou à des croyances : le vert irlandais, le bleu islamique et le jaune safran des moines tibétains comptent parmi les exemples les plus connus.

Les couleurs sont depuis longtemps utilisées dans des expressions populaires. On dira, par exemple : *voir tout en noir, rire jaune, avoir les bleus, rouge comme une tomate, blanc comme neige, vert de peur.*

La couleur a également exercé une grande influence sur la mode vestimentaire. Pensons aux couleurs pastel du styliste Courrèges dans les années 60, aux couleurs vives et bigarrées de la mode hippie, aux couleurs fluo des années 80, aux teintes naturelles issues des mouvements écologiques.

En Occident, certaines couleurs ou combinaisons de couleurs nous renvoient à des fêtes populaires : l'orangé et le noir nous rappellent l'Halloween, le rouge et le vert, Noël; le rose, le jaune et le mauve, Pâques.

■ La couleur dans l'art

Bon nombre de peintres et de courants artistiques en peinture sont facilement identifiables par leur utilisation de la couleur. Les peintres impressionnistes se distinguent par leurs couleurs très nuancées. On n'a qu'à penser à Renoir, à Degas et à Monet. En réaction à ce courant, le fauvisme, un mouvement pictural incarné, entre autres, par Matisse, Braque et Dufy, utilise des couleurs pures avec force, cernant souvent le contour des objets d'un trait noir.

Chez Picasso, deux couleurs vont dominer deux périodes différentes de son œuvre : la période bleue, représentative d'années difficiles dans la vie du peintre, et la période rose, qui correspond à la découverte de l'amour et au début de sa célébrité. Van Gogh utilisait des couleurs saturées et aimait les contrastes forts. Mondrian, peintre abstrait, se reconnaît à l'utilisation de couleurs fondamentales – jaune, rouge, bleu, blanc et noir – tout particulièrement dans ses dernières œuvres; la place des couleurs dans ses tableaux et leur disposition horizontale ou verticale jouent un rôle décisif dans l'effet recherché. L'utilisation du noir chez Soulages nous a sensibilisés aux nombreuses nuances du noir créées par le jeu de la lumière.

■ La couleur en littérature

Certains écrivains ont su utiliser la couleur avec bonheur. Dans son roman *Le ventre de Paris*, Émile Zola se sert de la couleur comme un peintre et en explore tous les effets. Il dépeint, dans de véritables tableaux, les étals colorés du marché des Halles, le matin : « [...] les verts délicats des salades, le corail rose des carottes, l'ivoire mat des navets » où se mêlent les marchandes « en bonnets blancs, avec un fichu noué sur leur caraco noir ».

Dans *L'assommoir*, du même auteur, la couleur de l'eau d'un ruisseau symbolise l'état d'esprit de Gervaise, l'héroïne du roman : « Il lui fallut enjamber un ruisseau noir, une mare lâchée par la teinturerie, fumant et s'ouvrant un lit boueux dans la blancheur de la neige. C'était une eau couleur de ses pensées. Elles avaient coulé, les belles eaux bleu tendre et rose tendre ! »

■ Les effets psychologiques de la couleur

Les couleurs exercent une influence certaine sur le psychisme. Elles sont davantage une source d'émotion que d'information. Elles évoquent consciemment ou non des souvenirs, des états d'âme. Les couleurs s'adressent directement aux sentiments.

Elles peuvent nous réjouir ou assombrir notre humeur. Une anecdote illustre bien ce phénomène: les suicides sur le pont Blackfriar de Londres ont chuté de 34 p. cent depuis qu'on l'a repeint en vert.

Les préférences en matière de couleur évoluent avec l'âge. Les enfants répondent bien aux couleurs primaires, tandis que les couleurs secondaires plaisent davantage aux adultes, plus instruits. Les personnes âgées, elles, marqueront une préférence pour les teintes plus pâles, comme les pastels. Ce phénomène s'explique en partie par la modification du cristallin de l'œil : avec l'âge se développe une substance colorée comme celle de la peau, qui change la perception des couleurs.

Les couleurs vives sont généralement synonymes de vie et de force, tandis que les couleurs pâles expriment le calme et la douceur. Le rouge et le jaune sont des couleurs chaudes et dynamiques, alors que le bleu et le vert sont des couleurs froides. Le jaune symbolise l'optimisme; le bleu, la méditation; le vert incite au repos.

Ainsi, pour utiliser judicieusement les couleurs, il est nécessaire d'en comprendre le langage.

Le propriétaire et grand patron du Bonheur des Dames, Octave Mouret, effectue sa tournée de routine dans le magasin. Son sens de l'innovation s'applique même aux choix de couleurs de ses étalagistes qu'ils souhaiteraient un peu plus audacieux...

...Mais, depuis quelques minutes, sans cesser de parler, il suivait du regard le travail de Hutin, qui s'attardait à mettre des soies bleues à côté de soies grises et de soies jaunes, puis qui se reculait, pour juger de l'harmonie des tons.
Brusquement, il intervint.
— Mais pourquoi cherchez-vous à ménager l'œil ? dit-il. N'ayez donc pas peur, aveuglez-les... Tenez ! du rouge ! du vert ! du jaune !
Il avait pris les pièces, il les jetait, les froissait, en tirant des gammes éclatantes. Tous en convenaient, le patron était le premier étalagiste de Paris, un étalagiste révolutionnaire à la vérité, qui avait fondé l'école du brutal et du colossal dans la science de l'étalage. Il voulait des écroulements, comme tombés au hasard des casiers éventrés, et il les voulait flambants des couleurs les plus ardentes, s'avivant l'un par l'autre. En sortant du magasin, disait-il, les clients devaient avoir mal aux yeux. Hutin, qui au contraire, était de l'école classique de la symétrie et de la mélodie cherchées dans les nuances, le regardait allumer cet incendie d'étoffes au milieu d'une table, sans se permettre la moindre critique, mais les lèvres pincées par une moue d'artiste dont une telle débauche blessait les convictions.

Émile Zola, *Au Bonheur des Dames*

3.2 Petite grammaire chromatique

■ L'ABC DE LA COULEUR

Le rouge, le bleu et le jaune sont les trois couleurs de base du cercle chromatique, appelées couleurs primaires. Ces couleurs pures ne peuvent pas être obtenues par le mélange d'autres couleurs. Le rouge et le jaune abondent dans la nature, contrairement au bleu, qui est plus rare.

Si on mélange deux de ces couleurs en parties égales, on obtient une couleur secondaire. Par exemple, l'amalgame du bleu et du jaune, en parties égales, donne le vert; le jaune et le rouge produisent de l'orangé; le rouge et le bleu, du violet. Les couleurs tertiaires sont composées d'un mélange, toujours en parties égales, d'une couleur primaire et d'une couleur secondaire. Ainsi, la combinaison du bleu et du vert donne le turquoise.

La théorie des couleurs est fondée sur les couleurs du spectre qui sont pures, alors que les pigments de la peinture ne le sont pas. Selon que l'on compose des couleurs avec des pigments (soustraction de lumière) ou de la lumière (addition de lumière), les couleurs primaires varient. (Voir la section 4.6, L'éclairage de couleur.)

Dans l'imprimerie, qui utilise des pigments (synthèse soustractive), les couleurs « primaires » sont le cyan (bleu turquoise), le magenta (rouge violacé), et le jaune (citron), auxquelles on ajoute du noir, combinaison connue sous la désignation CMYK.

■ LE VOCABULAIRE DE LA COULEUR

Trois caractéristiques définissent généralement les couleurs : la saturation, la teinte et la valeur.

① Le terme **saturation** désigne l'intensité d'une couleur. Il nous renvoie à une couleur franche, nette et pleine, se rapprochant le plus de la couleur pure. Ainsi, les couleurs du cercle chromatique sont à saturation maximale, tout comme le rouge d'une tomate bien mûre.

② La **teinte** (*hue*) est la qualité qui permet d'identifier une couleur, de la reconnaître et de la nommer. Le rouge, le bleu et le jaune sont considérés comme les teintes de base, parce qu'elles ne sont pas produites par mélange.

③ La **valeur** est le degré de clarté, d'obscurité ou de saturation par rapport aux autres tons, en fonction de l'échelle des gris. Le blanc représente le maximum de clarté, et le noir, le minimum.

On appelle **tonalité** une couleur nuancée obtenue par mélange. Il s'agit donc d'une couleur altérée. Les couleurs secondaires et tertiaires sont des tonalités.

Voici quelques exemples :

couleur lavée ou pastel	= couleur pure + blanc
couleur rabattue	= couleur pure + noir
couleur rompue	= couleur pure + sa complémentaire
couleur rabattue et lavée	= couleur pure + gris (noir + blanc)

3.3 L'HARMONIE DES COULEURS

« Harmonie » signifie équilibre, symétrie des forces. On dit qu'il y a harmonie quand un ensemble d'éléments procure un sentiment d'unité, d'organisation et crée une impression d'ordre et un certain rythme.

Réussir une harmonie de couleurs, c'est produire un ensemble agréable à l'œil. Dans une palette, quelles sont les couleurs appropriées pour créer une harmonie ? Le travail d'harmonisation des couleurs se fait souvent intuitivement : un peu plus de ceci, un peu moins de cela, plus clair, plus foncé. Néanmoins, ce travail est régi par certaines lois auxquelles nous obéissons inconsciemment. Quand l'intuition fait défaut, il est tout de même possible de résoudre un problème de couleur si l'on comprend la signification des couleurs, les réactions qu'elles provoquent et les principes de fonctionnement du cercle chromatique.

LES RÈGLES DE BASE

Voici quelques règles de base pour réussir de bonnes combinaisons de couleurs en présentation visuelle.

- Tenir compte du produit à présenter, de sa forme, de sa dimension, de l'espace alloué pour sa présentation et de la circulation des gens dont il doit attirer l'attention.
- Se rappeler que la couleur peut modifier la perception de l'espace : les couleurs chaudes donnent l'impression d'un espace plus restreint, alors que les couleurs froides créent l'illusion d'un espace plus grand.
- Examiner les échantillons sous un éclairage approprié lorsqu'on veut combiner des couleurs.
- Examiner les échantillons sous l'éclairage en place.
- Ne pas se fier à sa mémoire pour composer une harmonie. Le souvenir de la couleur est de courte durée.
- Choisir un agencement selon les teintes, les valeurs, la clarté et la saturation des couleurs ainsi que les textures. Le contraste est l'un des plus importants principes en design. Il faut cependant éviter la surabondance de contrastes qui fatigue l'œil. La monochromie crée un effet inverse, mais tout aussi intéressant.
- Pour obtenir un effet maximal, ne pas utiliser plus de trois couleurs ou textures principales. En fait, une harmonie réussie se compose d'une couleur dominante et d'une ou deux couleurs d'accent. Le ratio idéal est de 80 à 90 p. cent pour la couleur dominante et de 10 à 20 p. cent pour la ou les couleurs d'accent. On présentera, par exemple, une robe bleue (couleur dominante) avec une ceinture et des chaussures vertes (couleur d'accent) et un collier blanc (couleur d'accent).
- Évoquer des thèmes au moyen de la couleur. La répétition de certaines couleurs spécifiques peut faire partie de « l'esprit du magasin ». Par exemple, une boutique mettra exclusivement l'accent sur les produits de couleurs naturelles.

LES PRINCIPAUX TYPES D'HARMONIE

LES HARMONIES MONOCHROMES

Les harmonies monochromes sont les plus simples puisqu'elles n'utilisent qu'une seule couleur pour l'ensemble de la présentation visuelle. Les camaïeux, c'est-à-dire, les tons différents d'une même couleur, font partie de ces harmonies. On évitera la monotonie en apportant des variations dans la couleur et le fini des matériaux (mat/luisant) et dans les textures. L'éclairage mettra en valeur ces différentes variations. Les harmonies monochromes peuvent également utiliser le blanc et une seule autre couleur.

LES HARMONIES ANALOGIQUES

Les couleurs des harmonies analogiques ont souvent la même importance sur le plan visuel et possèdent une parenté certaine. Elles sont voisines dans le cercle chromatique, s'harmonisent bien et se renforcent mutuellement, comme le bleu, le turquoise et le mauve.

Si les teintes de ce type d'harmonies offrent peu de contraste entre elles, elles auront tendance à se confondre visuellement. On peut cependant varier les valeurs et le degré de saturation. Les agencements analogiques laissent beaucoup de liberté dans le choix des accessoires et des objets servant à la présentation.

LES HARMONIES COMPLÉMENTAIRES

Les harmonies complémentaires, par exemple le rouge et le vert, se composent de couleurs situées à l'opposé dans le cercle chromatique. Ces couleurs possèdent le même poids visuel malgré leur opposition, elles se complètent en matière de brillance et d'intensité et elles assurent un haut degré de contraste, surtout s'il s'agit de couleurs saturées.

Dans la réussite des harmonies complémentaires, tout est question de dosage et de proportions. Les couleurs complémentaires qui se côtoient créent des sensations fortes, une impression d'énergie, de vitalité et parfois même d'agressivité. On peut atténuer ces effets en utilisant les couleurs sur de petites surfaces ou en réduisant leur intensité avec du blanc. Par exemple, le rouge et le vert, si on leur ajoute du blanc, demeureront complémentaires et deviendront rose et vert pomme.

LES HARMONIES DE COULEURS NEUTRES

Le blanc, le noir, le blanc-beige, le blanc-gris, le gris, le terracotta jusqu'au brun sont des couleurs neutres. Ces couleurs sont agréables et faciles à harmoniser. On peut dégrader une couleur et la rendre presque neutre **en lui ajoutant sa complémentaire**. Par exemple, dans une présentation, les couleurs neutres peuvent venir atténuer le choc créé par des couleurs complémentaires et les faire s'accorder entre elles.

LES HARMONIES DE COULEURS CHAUDES ET FROIDES

Associées au soleil, les couleurs chaudes sont principalement le rouge, le jaune et l'orangé. Les couleurs froides, associées à la nature, sont essentiellement le bleu, le vert, et certains violets.

- Une lumière chaude (coucher de soleil, bougie, etc.) accentue les couleurs chaudes (rouge, orangé, jaune) et neutralise les couleurs froides.
- Une lumière froide (soleil d'une belle journée d'été, éclairage intense) met en valeur les couleurs froides (bleu, vert) et atténue les couleurs chaudes.
- Une couleur chaude et une couleur froide, juxtaposées, s'exaltent réciproquement. Par exemple, un bleu et un orangé juxtaposés sembleront respectivement plus bleu et plus orangé; donc le bleu sera plus froid, et l'orangé, plus chaud.
- Deux couleurs chaudes juxtaposées se refroidissent mutuellement puisque chacune est influencée par la complémentaire de l'autre. Par exemple, si l'on juxtapose un rouge et un orangé, l'orangé projettera sa complémentaire (le bleu) sur le rouge. Le rouge sera donc plus froid et moins brillant.
- Deux couleurs froides ont tendance à se réchauffer. Ainsi, si l'on juxtapose un bleu et un violet, le bleu projettera sa complémentaire (l'orangé) sur le violet. Le violet sera donc plus chaud.

LES CONTRASTES

- Une couleur est rehaussée si elle côtoie le blanc. Sur fond blanc, une couleur s'intensifie, mais elle est moins brillante que sur fond noir.
- À côté du noir, une couleur paraît plus riche et plus vibrante.
- À côté d'un gris, une couleur semblera plus brillante; le gris sera teinté de la complémentaire de la couleur.
- Une couleur foncée près d'une couleur claire semblera plus foncée, et la couleur claire, plus claire.

LES TEXTURES

Tous les matériaux ont une texture. L'aspect plus ou moins lisse d'une surface joue sur sa couleur selon l'éclairage. Une surface brillante paraît toujours plus pâle et semble occuper moins d'espace qu'une autre au fini tridimensionnel. Une matière rugueuse à l'œil et au toucher semblera plus lisse si on la voit de loin.

- Le satin, le chrome, les surfaces laquées, émaillées ou cirées reflètent la lumière et les couleurs environnantes.
- Les surfaces et les matières rugueuses absorbent et retiennent la lumière. Elles donnent l'impression d'être plus foncées. C'est le cas de la pierre, de la brique, de la laine, du tweed.

■ LES COULEURS ET LES VOLUMES

À la base, c'est la lumière qui révèle les formes et l'espace. Chaque forme a son caractère propre et peut modifier la perception qu'on a d'une couleur; inversement, la couleur peut modifier sensiblement notre perception des volumes.

- Si les couleurs sont claires, on créera une impression de hauteur et d'espace, tandis qu'on produira l'effet contraire si les couleurs sont foncées.
- Si une forme ou un volume est placé sur un vaste arrière-plan, il sera plus facile d'en évaluer la dimension.
- Une harmonie de couleurs douces peut compenser des volumes trop massifs.
- La répartition des valeurs claires et foncées a autant d'importance que le choix des couleurs. De petites étendues d'une couleur soutenue feront contrepoids à de grandes surfaces neutres.
- De grandes surfaces d'une couleur forte auront un effet à la fois théâtral et exigeant pour l'œil.

Figure 3.1 – Les couleurs et les volumes

3.4 LA RÉFLEXION ET L'ABSORPTION DE LA LUMIÈRE

Avant tout, il faut savoir que la lumière produit une sensation sur l'œil et influence notre perception de l'espace, des formes, des textures et des couleurs. L'éclairage est donc le complément indispensable à la couleur. La pigmentation (ou coloration) d'une surface déterminera les couleurs qu'elle absorbera et les couleurs qu'elle réfléchira.

La réflexion et l'absorption de la lumière et des couleurs font en sorte que tout objet clair ou foncé est influencé par la lumière ainsi que les couleurs d'une pièce, d'un décor ou d'une présentation, mais qu'il les influence lui aussi.

■ LA RÉFLEXION

Une surface blanche est plus éblouissante qu'une surface sombre, car le blanc n'absorbe pas les rayons lumineux. En fait, le blanc réfléchit 80 p. cent de la lumière, alors que le noir n'en réfléchit que 5p. cent. En plus d'attirer l'attention, une grande surface claire se reflétera toujours sur son environnement et l'éclairera, tandis qu'une surface foncée assombrira ce qui l'entoure.

Une surface brillante réfléchit plus de lumière qu'une surface mate. Par exemple, la couleur d'un objet de plastique brillant paraît toujours plus vive que la couleur de ce même objet au fini mat.

Un mur rouge éclairé par un projecteur de lumière blanche se reflétera sur les surfaces proches. Plus de 80 p. cent de la lumière sera absorbée, tandis que 20 p. cent de la lumière réfléchie sera rouge. Les objets environnants sembleront légèrement rosés. La perception des couleurs sera alors très différente.

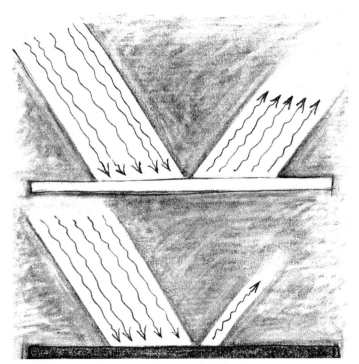

Figure 3.2 – La réflexion et l'absorption de la lumière

Toutes les couleurs possèdent des degrés de réflexion différents. Dans la composition d'une présentation visuelle, il est difficile de se faire une idée de l'effet général des couleurs si l'on a juste de petits échantillons pour se guider et un éclairage différent de celui qui servira à la présentation. C'est un point à considérer quand on choisit ses couleurs. De même, l'importance de la masse colorée doit aussi être prise en considération. Il est à noter que le pourcentage de réflexion de chaque couleur fait partie des données techniques fournies par les fabricants de peinture. Dans une cabine d'essayage, par exemple, on doit se méfier des teintes vert-jaune. La réflexion donne alors aux personnes un teint livide, ce qui ne favorise pas les ventes.

■ L'ABSORPTION

Le degré d'absorption de la lumière est conditionnel à la rencontre de cette lumière avec un objet ou une surface solide. Quand une source de lumière blanche est projetée sur une surface blanche, la lumière est presque entièrement réfléchie, et environ 10 p. cent de la lumière est absorbée, selon la qualité de la surface. Quand une source de lumière blanche frappe une surface noire, presque toute la lumière est absorbée et environ 5 p. cent est réfléchie. Un objet mat semble plus noir qu'un objet noir au fini brillant. Les environnements clairs demanderont donc moins d'éclairage que les environnements sombres, qui absorbent presque toute la lumière.

La couleur joue assurément un rôle important dans nos vies. Elle possède son propre langage; elle nous communique des sentiments et des émotions; elle a valeur de symbole sur le plan culturel et social. Savoir s'en servir à bon escient est à la fois une question d'instinct mais aussi de connaissances, car la couleur a ses règles et ses lois. Il faut toujours se rappeler qu'en présentation visuelle le consommateur pressé réagit rapidement et instinctivement aux couleurs utilisées. De là leur importance.

L'ÉCLAIRAGE

4.1 LES NOTIONS DE BASE

Sans la lumière, la perception de la couleur n'existe pas. La couleur que nous attribuons aux objets est produite par la lumière; c'est la lumière qui nous permet de percevoir l'espace, les formes et les textures.

Notre capacité de bien voir un objet et de le différencier d'un autre est non seulement influencée par la quantité de lumière ambiante, mais aussi par des facteurs tels que la brillance, les contrastes, la réflexion, la diffusion de la lumière et la couleur. Pour discerner la forme et la texture d'un objet, un certain degré de contraste ou de brillance est nécessaire.

Pendant un court moment, nos yeux peuvent supporter des degrés de brillance extrêmes. Il ne faut que quelques secondes à l'œil habitué à l'obscurité pour s'adapter à une lumière intense, alors qu'il faut plusieurs minutes (jusqu'à 30) à l'œil habitué à une lumière intense pour se faire à l'obscurité.

Par conséquent, les concepteurs d'éclairage doivent connaître le fonctionnement de l'œil et en tenir compte afin de proposer des éclairages adaptés à l'utilisation que l'on compte faire d'un espace donné.

■ LE DESIGN DES SYSTÈMES ÉLECTRIQUES

Le design des systèmes électriques des immeubles publics est conçu par des ingénieurs en électricité. Le designer peut cependant suggérer l'emplacement des sources lumineuses : commutateurs, prises de courant, etc. Dans un circuit, les fils électriques ont une dimension proportionnelle à la quantité d'électricité qu'ils doivent transporter.

Dans un panneau de distribution, un fusible ou un disjoncteur saute quand la demande d'électricité dépasse la capacité du câblage électrique. La charge continue sur un circuit ne doit pas excéder 80 p. cent de la capacité totale du circuit. La capacité sécuritaire d'un circuit de 15 ampères sur une ligne de 110 volts est de 1 200 watts.

Calculs de conversion

1 prise = 1 500 watts (compter 1 200 watts s'il y a un gradateur)
1 disjoncteur = 15 ampères
100 watts ÷ 100 volts = 1 ampère

Un rail d'éclairage d'une capacité de 1 500 watts peut donc alimenter :

10 ampoules de 150 watts
ou 15 ampoules de 100 watts
ou 30 ampoules de 50 watts (comme des MR-16)
ou 1 séchoir à cheveux de 1 500 watts

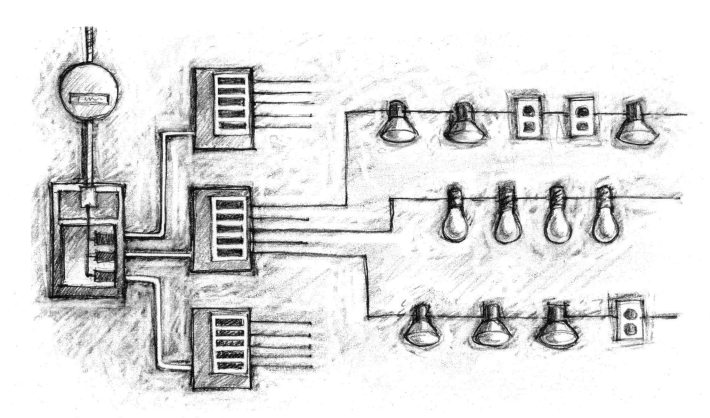

Figure 4.1 – Système électrique standard

▪ LE WATTAGE ET LA TENSION

Le wattage est la quantité d'énergie que consomme une ampoule; la tension représente le voltage de la lampe. Lorsqu'une lampe est de tension standard, elle peut être alimentée directement par une prise de courant sous tension de 120 volts, soit le voltage standard nord-américain. La lampe à basse tension doit être approvisionnée par un courant électrique d'un voltage inférieur, qui nécessite l'utilisation d'un transformateur fixé habituellement au support. La lampe à basse tension procure généralement un meilleur rendu de couleur ainsi qu'un faisceau plus précis et mieux défini.

▪ LA MESURE DE LA LUMIÈRE

Il existe plusieurs façons de mesurer la lumière. On peut en mesurer :

- l'intensité en candelas (cd);
- la quantité en lumens (lm);
- la température en kelvins (K).

4.2 LES SOURCES D'ÉCLAIRAGE

Les deux principales sources d'éclairage sont les lampes à décharge et les lampes à incandescence.

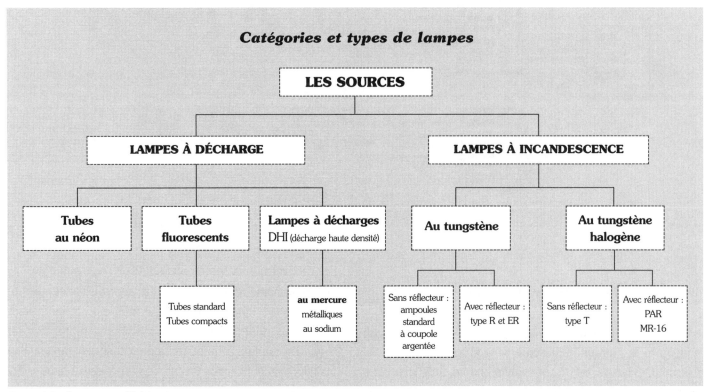

Figure 4.2 – Les sources d'éclairage

■ LES LAMPES À DÉCHARGE

Les lampes à décharge sont surtout utilisées pour l'éclairage commercial ou industriel et elles sont classées suivant des critères comme la pression ou la nature du gaz qu'elles contiennent. Nous retrouvons aussi dans cette catégorie les tubes fluorescents et les tubes au néon.

LES TUBES FLUORESCENTS

Les tubes fluorescents ont un rendement énergétique élevé et un faible dégagement de chaleur. En fait, ils consomment environ 1/3 de moins d'électricité que l'éclairage incandescent et durent 20 fois plus longtemps. Ils servent d'éclairage

Figure 4.3 – Les tubes fluorescents

général et pour les tâches reliées au travail. La plupart du temps, les tubes standard sont recouverts de grilles ou de diffuseurs permettant l'uniformisation de l'éclairage. Les petits fluorescents gagnent de plus en plus de popularité; dans plusieurs cas, ils peuvent remplacer l'éclairage incandescent.

Les fluorescents sont vendus dans un grand nombre de tonalités de blanc. Les tubes blanc chaud (*warm white*) fournissent le meilleur rendu de couleur; les autres tonalités donnent un teint blafard. Il est important de surveiller le dégagement de chaleur du ballast pour éviter qu'un objet qui se trouve à proximité soit abîmé. On emploie les tubes fluorescents pour l'éclairage intérieur des vitrines ainsi que pour les éclairages indirects et en lave-murs. Par contre, ces tubes donnent un éclairage trop uniforme pour une utilisation dans les vitrines.

LES TUBES AU NÉON

Encastrés dans le bas du mur d'une vitrine, les tubes au néon peuvent créer un effet intéressant, surtout si les néons sont recouverts de gélatines de couleur.

Les tubes au néon, que l'on confond souvent avec les tubes fluorescents, sont utilisés principalement pour les enseignes commerciales. Ces tubes de 10 à 20 mm émettent une lumière de couleur, et on les utilise souvent comme éléments de décor.

▪ LES LAMPES À INCANDESCENCE

Il est facile de travailler avec les lampes à incandescence. Elles donnent une impression de chaleur et d'intimité et permettent de diriger la lumière là où elle est nécessaire. On trouve tout un éventail d'ampoules standard ou à basse tension qui procurent la puissance, la forme et le faisceau désirés.

Il existe deux types de lampes à incandescence : les lampes au tungstène et les lampes au tungstène halogène.

LES LAMPES AU TUNGSTÈNE

Les lampes au tungstène produisent un éclairage chaud (légèrement jaunâtre) et donne un rendu de couleur qui va de bon à excellent. Cette catégorie comprend :
- les lampes standard de type A;
- les réflecteurs de type R et ER;
- les réflecteurs paraboliques (PAR).

a) Les lampes au tungstène standard sans réflecteur interne (type A)

Les ampoules domestiques font partie de cette catégorie. Elles sont bon marché, économiques à l'usage et offertes dans une large gamme de formes, de finis (clair ou opalin) et de watts. Sans réflecteur ajouté, elles produisent une lumière jaunâtre, diffusée dans toutes les directions, et leur rendu de couleur va de passable à très bon.

b) Les lampes au tungstène avec réflecteur interne (type R et ER)

Ces lampes ont une surface interne réfléchissante intégrée et sont faites de verre opalin ou clair. Elles produisent une lumière chaude et assurent un bon rendu de couleur. À puissance égale, elles donnent deux fois plus de lumière qu'une ampoule de type A. On les utilise pour éclairer les grandes surfaces en version *flood* (verre opalin) et pour un éclairage directionnel en version *spot* (verre clair). Leur puissance varie de 15 à 500 watts.

Lampe au tungstène standard sans réflecteur interne (type A)

Lampe au tungstène avec réflecteur interne (type R)

Figure 4.4 – Les lampes au tungstène

c) Les lampes au tungstène de type PAR avec réflecteur interne (*Parabolic Aluminized Reflector*)

Ces lampes de forme parabolique ont une surface interne réfléchissante. Elles sont faites de verre épais très résistant. Une lentille de diffusion en verre clair donne un faisceau étroit (*spot*); une lentille de diffusion faite de prismes moulés diffuse un faisceau plus large (*flood*). Les PAR produisent une lumière chaude de bonne intensité et offrent un très bon rendu de couleur, mais on leur préfère souvent la version halogène qui diffuse une lumière plus blanche (voir Les lampes de type PAR halogène, plus loin). Les PAR sont vendus en plusieurs formats. L'appellation PAR est toujours suivie d'un chiffre de 16 à 64, qui indique le format de la lampe.

Les PAR produisent un éclairage directionnel et un faisceau bien défini. Elles peuvent convenir comme éclairage d'accent ou comme éclairage d'ambiance en éclairage indirect.

LES LAMPES AU TUNGSTÈNE HALOGÈNE

Les lampes au tungstène halogène diffusent une lumière blanche et brillante. Elles possèdent une durée de vie supérieure à celle des ampoules régulières à incandescence et produisent plus de lumière (*lumens*) par watt. Les ampoules au tungstène halogène ont été conçues pour les 120 volts et en version bas voltage de 12 volts. Cette dernière version requiert un transformateur. Les lampes les plus populaires sont :
- les lampes de type T halogène;
- les lampes de type PAR halogène;
- les lampes avec réflecteur (multiréflecteur) de type MR-16 et MR11.

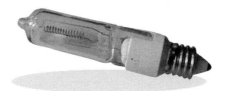

Lampe de type T halogène

Lampe au tungstène de type PAR avec réflecteur interne

Lampe avec réflecteur de type MR-16

Figure 4.5 – Les lampes au tungstène halogène

a) Les lampes de type T halogène

Conçues pour une utilisation dans des projecteurs de type Iris, les lampes de type T halogène sont très économiques et donnent une lumière blanche ainsi qu'un bon rendu de couleur. Les projecteurs de type Iris sont munis d'un réflecteur sphérique qui projette la lumière vers l'extérieur. On peut contrôler celle-ci à l'aide de volets réglables. Les lampes de type T produisent beaucoup de chaleur, et il ne faut pas y toucher avec les doigts (si l'on y touche accidentellement, on doit nettoyer l'ampoule avec de l'alcool pour enlever les traces laissées par les doigts). Ces lampes sont offertes en plusieurs formats et plusieurs puissances (45 à 10 000 watts). On utilise les petits formats dans des projecteurs légers, domestiques ou commerciaux; les lampes de forte puissance sont utilisées pour la scène et le cinéma. Les lampes de type T sont conçues pour éclairer de grandes surfaces en éclairage direct ou pour des éclairages d'ambiance indirects.

b) Les lampes de type PAR halogène (*Parabolic Aluminized Reflector*)

Ces lampes de forme parabolique ont une surface interne réfléchissante. Elles sont faites de verre épais très résistant. La lentille de diffusion en verre clair donne un faisceau étroit (*spot*); la lentille de diffusion faite de prismes moulés produit un faisceau plus large (*flood*). Les PAR diffusent une lumière blanche de bonne intensité, sans dénaturer les couleurs. Elles offrent les avantages des PAR et de l'halogène et s'insèrent dans les appareils standard. L'appellation PAR est toujours suivie d'un chiffre de 16 à 64, qui indique le format de la lampe.

En vogue dans les boutiques et les grands magasins, les PAR produisent un éclairage directionnel et un faisceau bien défini. Elles peuvent servir d'éclairage d'accent aussi bien que d'ambiance (en éclairage indirect).

c) Les réflecteurs (multiréflecteurs) de type MR-16 et MR-11

Les lampes T miniatures, intégrées à un réflecteur multimiroir, répandent une lumière blanche excellente pour un éclairage d'accent à courte distance.

La série MR (multiréflecteur) regroupe des lampes halogène à basse tension (12 volts avec transformateur et gradateur spéciaux) à la fois robustes et efficaces. Elles produisent des faisceaux très précis (8° à 38°) et donnent un excellent rendu de couleur. Plus grosses sont les facettes du réflecteur multimiroir, plus l'angle du faisceau sera large.

On appelle « surface dichroïque » la partie du réflecteur qui dirige la lumière vers l'arrière, à travers le réflecteur en verre. Cette surface réduit environ des deux tiers la chaleur du faisceau. De plus, la réfraction de la lumière produit sur le réflecteur des effets chromatiques intéressants et ajoute aux attraits esthétiques de l'appareil.

Une lentille frontale en verre protège la lampe contre la poussière et les empreintes de doigt. La lampe possède une durée de vie de 2 000 à 3 500 heures.

Tableau 4.1 – L'éclairage incandescent

	RDC*	RÉFLECTEUR	LENTILLE	FAISCEAU	WATTAGE
TUNGSTÈNE **Ampoule standard**	Bon, lumière chaude	Aucun		Lumière diffuse	25 à 300 watts
Type R et ER	Très bon, lumière chaude	Intégré, brillant Intégré, mat	Verre clair Verre opalin (diffus)	Spot Flood	15 à 750 watts
TUNGSTÈNE HALOGÈNE **PAR**	Excellent	Interne, brillant	Verre clair Verre à prismes moulés	Spot Flood	45 à 1000 watts
Type T	Excellent	Aucun	Verre clair	Très large, flood	
MR-16 (MR-11)	Excellent	Intégré, miroir à larges facettes	Aucune ou verre clair de protection	Large, flood	25 à 75 watts

* Rendu de la couleur

■ Le diamètre des ampoules

Quand on parle d'un MR-16, le chiffre 16 indique la dimension de l'ampoule. Comme les ampoules se mesurent en 1/8 de pouce, le MR-16 a donc 2 pouces de diamètre (5 cm).

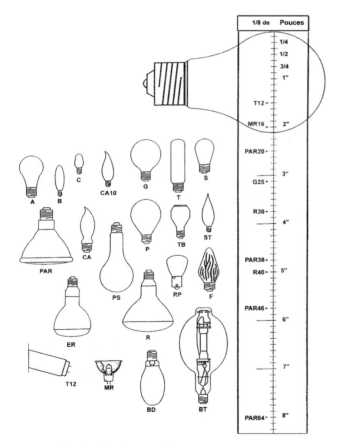

Figure 4.6 – Le diamètre des ampoules

■ Les faisceaux

Le faisceau est la forme du rayon lumineux. La concentration de lumière produite au centre du faisceau est appelée « point chaud ». Les lampes à faisceau large (*flood*) répandent un jet de lumière diffus et uniforme. Les lampes à faisceau étroit (*spot*) diffusent un faisceau de lumière concentré, brillant au centre; elles sont utilisées pour attirer les regards sur un objet ou sur un point précis.

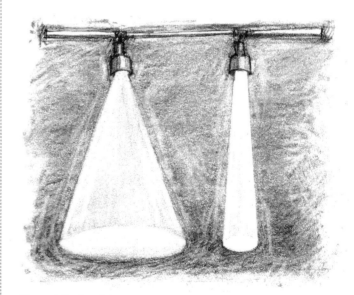

Figure 4.7 – Les faisceaux

Il est à noter qu'une lampe d'une puissance donnée n'offre pas le même degré d'éclairage, selon que son faisceau est large ou étroit. Ainsi, un faisceau étroit éclaire mieux chaque détail qu'un faisceau large, car il diffuse sa puissance sur une plus petite superficie. Les largeurs de faisceaux sont identifiées par des sigles de langue anglaise, employés par tous les fabricants :

Faisceau étroit 1,5° à 20°	VNSP : *very narrow spot*
	NSP : *narrow spot*
	SP : *spot*
Faisceau moyen 20° à 36°	NFL : *narrow flood*
	MFL : *medium flood*
Faisceau large 36° à 80°	FL : *flood*
	WFL : *wide flood*
	VWFL : *very wide flood*

4.3 LES SUPPORTS ET LES ACCESSOIRES

■ LES SUPPORTS

LES PROJECTEURS UNIVERSELS

Le support soutient la lampe et assure l'alimentation électrique. Le rendu de la lumière et les possibilités d'application dépendent surtout de la lampe et non du support.

Figure 4.8 – Projecteur universel

Les supports sont munis d'un dispositif permettant de les accrocher et d'orienter la lumière. Certains possèdent des réflecteurs intégrés (comme les Iris); d'autres n'ont aucun réflecteur, car ils sont utilisés avec des lampes dotées de projecteurs intégrés. Les supports sont très polyvalents et peuvent recevoir plusieurs types de lampes (Type A, R ou PAR).

Les supports et les projecteurs sont manipulés régulièrement et fonctionnent souvent plusieurs heures par jour. Au moment de l'achat, il faut tenir compte de l'usage que l'on en fera et veiller à ce qu'ils soient solides et très résistants à la chaleur.

LES PROJECTEURS À RÉFLECTEUR

a) Les Fresnel (les projecteurs à lentille de Fresnel)

Instruments d'éclairage de précision, les Fresnel sont une réplique miniature de l'équipement d'éclairage de théâtre. La particularité des Fresnel est l'intégration d'un bloc optique facilement ajustable. On peut donc modifier du bout des doigts la largeur du faisceau. On obtient un faisceau étroit de 20° en éloignant la lampe le plus possible de la lentille, et un faisceau moyen de 50°, en rapprochant la lampe le plus possible de la lentille. Les Fresnel produisent un halo de lumière diffus autour du point chaud, ce qui permet d'isoler les objets et de les entourer d'une lumière vaporeuse. Les Fresnel peuvent intégrer les volets réglables (portes de grange) et les filtres colorés.

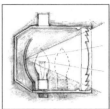

Figure 4.9 – Projecteur Fresnel

b) Les lekos (ellipsoïdes)

Les lekos sont des instruments d'éclairage de précision qui possèdent un réflecteur intégré. Conçus pour de puissantes lampes au tungstène, souvent lourds et massifs, ces projecteurs sont des répliques miniatures de l'équipement d'éclairage de théâtre. Ils projettent la lumière à l'avant de la lampe, vers un point de focalisation où sont situées deux lentilles convexes mobiles. On peut déplacer les lentilles afin de faire la mise au point du faisceau. À l'intérieur de l'appareil, quatre plaques métalliques réglables (appelées aussi « couteaux ») permettent d'encadrer avec précision un objet ou une surface. Les lekos peuvent intégrer les volets réglables (portes de grange) et ils sont les seuls capables d'insérer des clichés (*gobos*), ces pièces métalliques dans lesquelles sont découpées des formes dont on peut faire apparaître l'image lumineuse.

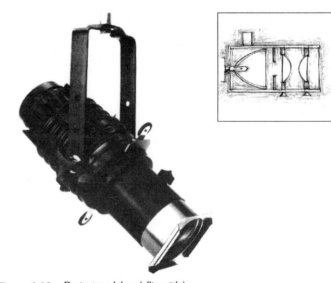

Figure 4.10 – Projecteur lekos (ellipsoïde)

■ LES ACCESSOIRES

Plusieurs accessoires sont offerts en option par les fabricants d'appareils d'éclairage. Ils sont très utiles pour filtrer ou colorer la lumière, modifier la largeur d'un faisceau ou produire des effets spéciaux.

LES DIFFUSEURS (OU FILTRES)

Les diffuseurs servent à adoucir et à uniformiser le point chaud produit par une ampoule. Souples et résistants à la chaleur, ils sont faits d'une pellicule de matière plastique blanche, opaque ou semi-opaque. Certains sont munis de porte-filtres intégrés; d'autres n'en ont pas, et l'on doit ajouter un dispositif prêt à recevoir une pellicule de diffusion (ou un filtre coloré) devant l'appareil. Presque tous les appareils fluorescents sont vendus avec des diffuseurs de matière plastique ou des grilles de diffusion.

Les gélatines de couleur, appelées également « filtres de couleur », ont pour fonction de modifier, d'accentuer la couleur d'une présentation ou de créer une ambiance (voir la section 4.6 sur l'éclairage de couleur). Elles sont fabriquées en matière plastique souple et sont offertes dans une grande variété de couleurs. Il existe des filtres rigides conçus pour certains appareils d'éclairage, mais leur prix est plus élevé, et le choix des couleurs, limité.

LES PORTES DE GRANGE

Les portes de grange sont des accessoires métalliques que l'on place devant certains appareils d'éclairage. Elles contrôlent la diffusion de la lumière et forment un faisceau précis autour de l'objet éclairé.

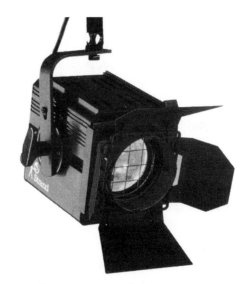

Figure 4.11 – Projecteur à portes de grange

LES PARALUMES

Le paralume est un grillage que l'on place devant un appareil (de la même façon qu'un filtre) pour éliminer l'éblouissement et les reflets aveuglants produits par une lampe. On utilise cet accessoire lorsque la lampe d'un projecteur risque d'incommoder.

4.4 LES PRINCIPAUX TYPES D'ÉCLAIRAGE

Dans des espaces utilisés pour de nombreuses activités comme les bureaux, les magasins, les résidences et les musées, un éclairage réussi fait appel à un ou à plusieurs types d'éclairage de base. L'éclairage général et l'éclairage de tâche permettent aux gens de vaquer confortablement à leurs activités, tandis que l'éclairage d'accentuation brise la monotonie d'une présentation en ajoutant des touches de lumière sur certaines marchandises.

■ L'ÉCLAIRAGE GÉNÉRAL

Cet éclairage est aussi connu sous le nom d'éclairage d'ambiance. Il est indispensable, et sa fonction est de créer le même type de lumière que procure le soleil à l'intérieur d'une pièce. L'éclairage général est destiné à des endroits où les gens circulent. Il se doit d'être uniforme, confortable et de ne pas éblouir. Il peut provenir de lustres, ou être intégré au plafond ou aux murs. Dans un plan d'éclairage, il est essentiel de tenir compte de l'éclairage général.

Figure 4.12 – L'éclairage général

■ L'ÉCLAIRAGE DE TÂCHE

L'éclairage de tâche est un éclairage fonctionnel et uniforme qui permet de travailler, de lire, d'écrire, etc. Il ne doit produire ni ombres ni reflets. La précision et la minutie nécessaires à une tâche déterminent le niveau d'éclairement requis. Il faut se souvenir que le contraste entre un objet et son « fond » est très important dans un environnement où le travail des yeux est grandement sollicité. Ainsi, il est plus facile de lire des lettres foncées sur une page blanche que l'inverse. Pour la lecture, il est donc souhaitable que la surface de travail soit légèrement plus claire que son environnement. Des lampes sur pied, des éclairages sur rails ou des luminaires peuvent produire cet éclairage.

Figure 4.13 – L'éclairage de tâche

Figure 4.14 – L'éclairage d'accent (de mise en valeur)

L'ÉCLAIRAGE D'ACCENT (DE MISE EN VALEUR)

L'éclairage d'accent sert à attirer l'attention sur des tableaux, des sculptures ou des marchandises. Il permet de créer des effets dramatiques, d'accentuer les contrastes et de faire converger les regards vers un point précis. Sous un éclairage d'accent, les couleurs de la marchandise sembleront plus brillantes, les textures et les détails, mieux définis. Il est important de savoir que cet éclairage doit être au moins trois fois plus fort que l'éclairage général. La lumière directionnelle

d'accent peut être encastrée ou montée sur rail, et l'intensité est contrôlée par gradateur.

Un éclairage réussi exige un bon dosage de la quantité de lumière, de sa qualité et de sa direction. Même si nos yeux font automatiquement la moyenne de la brillance, un éclairage présentant des contrastes extrêmes est un éclairage déséquilibré.

4.5 LE POSITIONNEMENT DE L'ÉCLAIRAGE

■ L'ÉCLAIRAGE DIRECT LARGE

L'éclairage fonctionnel est souvent fourni par des fluorescents ou des réflecteurs à faisceau large (*flood*). Il provient habituellement du plafond; 90 p. cent de la lumière est dirigée vers le plancher, et 10 p. cent, vers le plafond. Ce type d'éclairage n'est pas conçu pour mettre les objets ou les produits en valeur. Sa principale qualité est d'être fonctionnel et uniforme.

L'éclairage direct est un bon choix d'éclairage général (de base) ou d'éclairage de tâche. Il produit une lumière suffisante sur une zone de travail, sans causer d'éblouissement ni d'ombre. Une lumière directe fera paraître les objets plus plats et atténuera l'effet modelé que créent les ombres.

Figure 4.15 – L'éclairage direct large

Figure 4.16 – L'éclairage direct étroit

L'ÉCLAIRAGE DIRECT ÉTROIT

L'éclairage direct étroit est produit par des ampoules à faisceau étroit (*spots*). Il forme des îlots de lumière qui mettent les produits en valeur et attirent le regard. Très utilisé dans les boutiques, les vitrines, les musées et les restaurants, il sert à créer des effets dramatiques. C'est de loin le type d'éclairage le plus flexible et avec lequel on peut le plus facilement travailler. L'éclairage d'accent directionnel est rarement employé seul et doit être accompagné d'autres types d'éclairage.

L'éclairage direct réfléchit généralement de 90 à 100 p. cent de lumière vers le bas, et de 0 à 10 p. cent, vers le haut. Peu de lumière se perd.

L'ÉCLAIRAGE SEMI-DIRECT

On parle d'éclairage semi-direct quand 60 à 90 p. cent de la lumière réfléchit vers le bas, et 10 à 40 p. cent, vers le haut. L'éclairage semi-direct est idéal pour les salles de conférences, les salles à manger, et au-dessus d'un comptoir de produits de petits formats, etc. Si l'installation est faite à une hauteur confortable, l'éclairage semi-direct produira de légères ombres, mais il restera agréable pour le travail et le jeu, tout en donnant le maximum d'efficacité.

Figure 4.17 – L'éclairage semi-direct

L'ÉCLAIRAGE MURAL LAVE-MUR (WALLWASHING)

L'éclairage mural consiste à installer un bandeau lumineux au plafond, près du mur (de 12 po à 24 po du mur – de 30 à 60 cm). Souvent employé pour distraire l'œil d'un trop long couloir, pour attirer l'attention sur un mur ou pour donner de la profondeur, ce type d'éclairage est facile à utiliser et très efficace. Il donne l'impression d'un espace visuel plus spacieux et fait paraître la pièce plus grande.

Figure 4.18 – L'éclairage mural lave-mur (*wallwashing*)

Pour maximiser cet effet, le plafond doit être d'une bonne hauteur. En outre, les résultats seront encore meilleurs sur un mur en saillie (briques, pierres) ou sur lequel on a placé des objets. Si le mur éclairé est nu et lisse, il doit être sans défaut, car la lumière fera ressortir la moindre imperfection. Attention à l'éblouissement sur un mur brillant !

■ L'ÉCLAIRAGE INDIRECT

L'éclairage indirect est dirigé vers le plafond : 90 à 100 p. cent de la lumière est réfléchie vers le haut, et 0 à 10 p. cent, vers le bas. Utilisé de façon adéquate, il constitue un excellent éclairage d'ambiance et met en relief les éléments architecturaux des plafonds. La couleur et la brillance du plafond se révèlent importantes en raison de la réflexion : un plafond clair créera un meilleur effet. Une lampe sur pied ou des appareils dissimulés peuvent produire un éclairage indirect. Pour maximiser leur effet, ces appareils doivent être installés à au moins 18 po (45 cm) du plafond.

■ L'ÉCLAIRAGE SEMI-INDIRECT

L'éclairage semi-indirect est utilisé pour éclairer les comptoirs servant à la manipulation d'un produit : un comptoir des viandes, par exemple. L'éclairage semi-indirect accompagne d'autres types d'éclairage. De 60 à 90 p. cent de l'éclairage semi-indirect est réfléchi vers le haut, et 10 à 40 p. cent, vers le bas.

Figure 4.19 – L'éclairage indirect

Figure 4.20 – L'éclairage semi-direct

▪ L'ANGLE D'ÉCLAIRAGE

Une lumière placée directement en face d'un objet le fera paraître plat. Il faut donc orienter le faisceau en angle pour accentuer l'effet modelé et donner du relief aux objets. Voici la méthode à suivre pour éclairer une surface verticale, à partir d'un rail ou du plafond.

- Placer l'appareil d'éclairage en angle de 30° par rapport à la surface verticale pour éviter l'éblouissement des passants et les réflexions sur l'objet éclairé. Utiliser habituellement un appareil par objet ou groupe d'objets à éclairer.

- Mesurer la distance entre le plafond et le centre de l'objet à éclairer.

- Installer le rail au plafond pour donner un angle de 30° par rapport au centre de l'objet à éclairer. Supposons, par exemple, que la distance entre le plafond et le centre de l'objet est de 48 po (1,22 m). Pour obtenir un angle d'éclairage de 30°, le rail doit être installé au plafond à 27 po (69 cm) du mur.

Tableau 4.2 – L'angle d'éclairage

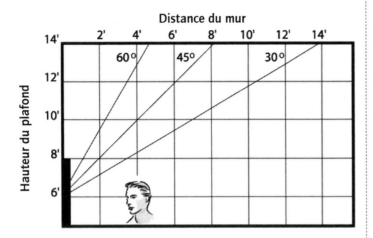

L'ÉCLAIRAGE DES VITRINES

La vitrine étant souvent un espace isolé, où l'on peut créer des effets d'éclairage théâtraux, quelques principes doivent être respectés.

① L'éclairage de la vitrine fermée doit posséder un contrôle séparé de l'éclairage du magasin ou de la boutique.

② L'éclairage principal doit venir du plafond et de l'avant (30°) et être orienté vers la partie la plus intéressante de la vitrine.

③ L'éclairage secondaire peut venir du plafond, des côtés ou de l'arrière. Il est moins fort que l'éclairage principal. Son rôle consiste à compléter l'éclairage et à atténuer les ombres trop fortes. Un éclairage venant du plafond et éclairant la marchandise ou le mannequin par le haut donnera des ombres trop fortes et inesthétiques.

④ Un éclairage qui vient du plancher :

- crée un effet dramatique;
- peut adoucir les ombres produites par un éclairage secondaire;
- peut produire des ombres importantes s'il s'agit d'un éclairage principal;
- ne doit pas être l'éclairage principal à moins que l'on veuille créer des effets spéciaux (cet éclairage confère un air lugubre au visage des mannequins).

Figure 4.21 – L'éclairage des vitrines

4.6 L'ÉCLAIRAGE DE COULEUR

L'éclairage de couleur a pour fonction de créer des ambiances et d'accentuer les couleurs. Pour produire des effets colorés, on peut se servir d'ampoules ou ajouter des filtres (gélatines) sur un éclairage blanc. Pour réussir un éclairage coloré, on doit tenir compte de la couleur des objets à éclairer ainsi que des teintes environnantes. La connaissance de quelques principes simples vous évitera plusieurs erreurs.

■ LA SYNTHÈSE ADDITIVE

Les couleurs primaires de la lumière sont le rouge, le vert et le bleu. La superposition de trois lumières de couleur primaire sur un objet de couleur neutre produit une lumière blanche.

Sur une surface neutre, l'addition d'ampoules rouges et bleues produit une lumière magenta; les lumières bleues et vertes superposées donnent une lumière cyan; la lumière rouge superposée à la lumière verte crée une lumière ambrée. Les couleurs secondaires en éclairage sont donc le magenta, le cyan et l'ambre. Ainsi, on constate que les lumières de couleur s'additionnent les unes aux autres. C'est pourquoi on les nomme « additives ».

■ LA SYNTHÈSE SOUSTRACTIVE

Une lumière rouge, créée par l'ajout d'une gélatine rouge sur une lumière blanche, teinte la surface d'une couleur neutre (rougeâtre). Ainsi, la lumière rouge soustrait le vert et le bleu présents dans la lumière blanche. Un filtre bleu, posé sur une lumière blanche, absorbe le rouge et le vert et produit, sur une surface de couleur neutre, une lumière bleue. Un filtre vert, posé sur une lumière blanche, soustrait le rouge et le bleu et ne laisse passer que le vert. Il en est de même pour les couleurs complémentaires.

Si l'on superpose trois filtres de couleur primaire – le rouge, le bleu et le vert – devant une lumière blanche, on remarque qu'aucune lumière ne passe puisque chaque couleur du filtre soustrait les deux autres couleurs primaires à la lumière blanche.

On évitera donc les éclairages verts sur un mannequin aux cheveux roux puisque le vert, qui absorbe la couleur des cheveux, donnera à la peau une tonalité verdâtre.

4.7 LA PLANIFICATION

Avant de faire un plan d'éclairage, il faut connaître :

- le type d'éclairage recherché : éclairage général, éclairage de tâche, d'ambiance ou d'accent;

- le format et la texture des objets à éclairer;

- le sens de la circulation;

- la hauteur du plafond;

- les dimensions de l'espace à éclairer;

- le nombre de watts requis;

- les types d'appareils et d'accessoires requis;

- l'angle d'éclairage approprié;

- les types de sources d'éclairage désirés : incandescent type R, halogène (PAR, MR-16), etc.

- la largeur des faisceaux requis (*spot, flood*, etc.);

- le budget dont on dispose.

4.8 QUELQUES TRUCS DU MÉTIER

- Il faut éviter d'éclairer un mannequin en pleine figure. Il est préférable de concentrer l'éclairage sur la marchandise ou de diriger le faisceau lumineux sur l'épaule du mannequin.

- Il est plus facile de voir les imperfections et d'ajuster l'éclairage d'une vitrine le soir.

- Les fils électriques qui courent un peu partout sont inesthétiques. On doit les camoufler autant que possible.

- La lumière colorée ne doit pas dénaturer la couleur du produit mis en vente. Elle doit être dirigée sur les murs du fond et sur les accessoires et servir à créer une ambiance dans la vitrine.

- Il est nécessaire de surveiller l'orientation des appareils d'éclairage pour ne pas aveugler les passants.

- Un éclairage uniforme est perçu comme typique des magasins qui offrent des bas prix, notamment les magasins entrepôts.

LA CONCEPTION
ET LA COMPOSITION

5.1 LA CONCEPTION

L'élaboration d'un concept constitue la première phase d'un projet. L'absence de concept est un défaut capital auquel rien ne peut suppléer. Selon le *Petit Robert,* le concept est « la représentation mentale, générale et abstraite d'un objet ».

Tous les individus possèdent un potentiel créatif qui les rend apte à imaginer des solutions originales. Malheureusement, lorsqu'il faut produire des idées nouvelles, nombreux sont ceux qui se complaisent dans le conformisme par crainte de paraître ridicules, incompétents ou mal informés des nouvelles idées ou des nouvelles tendances. Prendre le risque de se laisser entraîner par « la folle du logis », c'est partir à l'aventure dans le monde de la nouveauté, pour le meilleur ou pour le pire.

■ LES DONNÉES PRÉALABLES AU CONCEPT

Dans le processus de recherche d'idées en présentation visuelle, on commence par recueillir l'information relative au nouveau projet et en évaluer les possibilités :

- le produit : ses dimensions, sa couleur, sa disponibilité, la quantité à montrer;
- les dimensions de l'espace à aménager;
- la visibilité et l'orientation de la vitrine;
- les accessoires et les présentoirs disponibles;
- l'éclairage existant;
- la clientèle cible et les idées du client;
- la direction du plan de marketing, s'il y a lieu;
- le budget : la possibilité d'achat de décors ou d'accessoires;
- les supports graphiques à intégrer;
- le temps alloué à la conception et à la réalisation de la présentation.

■ LA RECHERCHE DU CONCEPT

Pour trouver un concept, le designer de présentation doit intégrer toutes les données recueillies précédemment (sans en oublier une seule) et, à partir d'elles, aller à la recherche d'idées. Ici, la créativité est la combinaison de la raison et de l'imagination, c'est-à-dire la capacité de faire preuve à la fois d'inventivité et de bon sens. Cet exercice exige de la concentration, de la rapidité et une excellente visualisation 3D. Le concepteur doit réfléchir, lire et observer, jusqu'à ce que des images se forment dans son esprit. En présentation visuelle, le concepteur doit avoir les pieds sur terre et la tête dans les nuages.

Durant cette période d'incubation, le concepteur cherche l'idée ou la solution du problème, il s'endort en y pensant et il en rêve. Souvent, un cliché encombre son esprit sans qu'il arrive à s'en débarrasser. Il tourne en rond. Tout ce processus peut être accompagné de la peur très normale de manquer de temps ou de ne pas être capable de trouver une solution originale au problème. Puis surgit parfois, on ne sait d'où, L'IDÉE, l'originale, la tant attendue. Stimulé par cette trouvaille, le concepteur développe, élabore, schématise, planifie, modifie. Chaque étape de cette démarche risque d'être perturbée par des doutes : ceux du concepteur et ceux de son entourage. Le concepteur devra souvent retourner à la case départ, car l'idée, si bonne soit-elle, peut être difficile à appliquer dans certains cas. Un principe à retenir : l'imagination ne doit jamais aller au-delà du but visé.

Il est rare que l'on ait plusieurs heures ou plusieurs jours devant soi pour concevoir un projet. Voilà pourquoi les personnes qui travaillent en présentation visuelle doivent être créatives. S'il s'agit de projets simples, la solution doit souvent couler de source et être trouvée rapidement. Se faire la main sur de petits projets est une façon efficace de prendre de l'expérience et de s'éviter quelques insomnies.

Lorsqu'il s'agit de projets d'envergure impliquant des travaux importants et la collaboration de plusieurs personnes, le problème se présente autrement. L'habileté à faire des croquis ou des maquettes à l'échelle sera alors un atout et évitera les mauvaises surprises. Rien de tel, pour organiser un espace, que de voir cet espace aménagé à l'échelle. Il est alors facile de se rendre compte des points forts et des points faibles du projet.

La nécessité constitue souvent l'adrénaline du concepteur visuel, et les images se forment dans sa tête à force d'influences extérieures et de réflexions personnelles. Sauf de rares exceptions, le processus de recherche d'idées se met en branle en questionnant, en lisant, en observant et en compilant le plus d'information possible sur le projet. La culture générale est le moteur et le pilier de la création. Ceux qui choisissent le métier de designer de présentation doivent être à l'affût des tendances et de l'actualité : en arts, en mode, en musique... et même en sciences et en politique.

5.2 STIMULER LA CRÉATIVITÉ

Bien que les processus de création aient de tout temps suscité l'intérêt des penseurs et des chercheurs désireux de comprendre leur fonctionnement, la créativité n'existe en tant qu'objet d'étude reconnu que depuis une cinquantaine d'années. La créativité est étudiée d'abord en tant qu'aptitude, mais aussi en tant que méthode pour amener les individus à exploiter leur dimension créative. Ce dernier champ de recherches a livré un grand nombre de techniques visant à stimuler l'imagination et à faciliter la recherche de concepts. Avant d'exposer quelques-unes de ces techniques, une petite mise en garde s'impose : il ne faut pas utiliser ces méthodes comme des recettes dont le résultat est prévisible, mais plutôt comme des façons de penser activement ou, comme l'écrivait Bernard Demory, un conseiller en créativité, comme « des moyens d'ouverture, d'aération mentale ».

■ LE REMUE-MÉNINGES (BRAIN-STORMING)

La technique la plus simple et la plus utilisée est, sans aucun doute, le remue-méninges. Cette technique consiste à exprimer par écrit ou verbalement toutes les idées qui nous viennent à l'esprit, sans en rejeter aucune. Cette recherche d'idées se fait en groupe.

Il est très important que les participants à un remue-méninges ne manifestent aucune censure par rapport aux idées émises, que ce soient les idées les plus délirantes ou les clichés les plus banals. La censure peut se manifester de plusieurs façons : il y a la censure verbale, la censure non verbale et, la plus subtile de toutes, l'autocensure. Les statistiques montrent que, sur soixante idées émises, une seule est dite « géniale ». Au départ, il faut donc viser la quantité. Le frein le plus puissant à la créativité consiste à critiquer systématiquement toute nouvelle idée, sans même chercher à l'examiner.

Au départ, les clichés doivent sortir spontanément pour ne pas obstruer les idées nouvelles qui surgiront par la suite. Peu à peu, on arrive à se faire un cerveau neuf et à faire table rase des idées reçues. Le remue-méninges stimule l'imagination des participants et donne des résultats imprévus; de chaque piste découlera souvent un ou plusieurs bons concepts. C'est alors le moment de préciser, d'améliorer et de structurer les idées émises.

LE CONCASSAGE

La technique du concassage peut être employée spontanément pour résoudre un problème; cependant, son efficacité est souvent plus grande quand elle suit une séance de remue-méninges. Cette technique consiste à envisager le problème sous les angles les plus divers, à « l'attaquer de toutes parts, à le casser... afin de faire surgir le plus grand nombre de réponses nouvelles » (Bernard Demory, *La créativité en pratique et en action*). Par exemple, on peut se demander ce que deviendrait l'objet ou le produit à présenter ou une donnée quelconque du problème si on les agrandissait, si on les diminuait, si on les améliorait, si on les associait avec un autre objet, une autre fonction, un objet insolite, etc.

Cette recherche est stimulante et produit généralement plusieurs concepts intéressants qui conduisent à des solutions inattendues.

LA RENCONTRE DES IDÉES

La présentation visuelle est l'un des maillons de la chaîne de vente. La production du designer de présentation est donc très souvent précédée d'un travail important de marketing et de promotion, et elle doit être la suite logique des étapes précédentes. C'est une pratique courante que d'utiliser comme point de départ l'idée d'autres personnes, en l'occurrence de ses collaborateurs ou de ses clients. Concevoir une présentation de cette façon peut, de prime abord, paraître moins créatif; c'est un fait que le processus de recherche d'idées risque d'être simplifié. Par contre, le défi d'être à la toute fin de la chaîne publicitaire et d'avoir la responsabilité d'attirer les clients est particulièrement stimulant. Si la rencontre du client et du produit est ratée, c'est tout le travail de l'équipe qui est anéanti; au contraire, si la rencontre est réussie, l'équipe entière profitera de cette réussite.

LES CLICHÉS : LES ÉVITER OU EN TIRER PARTI ?

Éviter les clichés n'est pas simple. Année après année, les mêmes thèmes reviennent. Par exemple, depuis longtemps, la présentation de crayons, de cahiers et de livres nous rappelle la rentrée des classes. Le défi du designer de présentation consiste à renouveler la manière de montrer ces articles. Un défi de taille !

Des moyens de développer sa créativité

- Maintenir éveillé son potentiel créatif.
- Apprendre à écouter.
- Accepter les idées d'autrui.
- Savoir se remettre en cause.
- Être curieux des nouveautés.
- Apprendre à travailler en groupe.
- Développer son sens de l'humour.

Les freins à la créativité

- Le refus de l'effort.
- La difficulté à creuser les idées.
- Le refus de remettre en question ses idées, ses modèles culturels, ses façons de penser.
- La résistance au changement.
- La difficulté à faire comprendre sa démarche créative.
- La peur des idées qui n'ont pas encore été expérimentées.
- La tendance à rejeter des idées sans les examiner.
- La crainte d'être jugé.
- La peur de prendre des risques.

(Bernard Demory, *La créativité en pratique et en action*)

5.3 La mise en forme d'une idée ou d'un concept

Pour donner un maximum d'efficacité à sa présentation, le designer doit connaître certains mécanismes physiologiques, en particulier ceux qui concernent la vision humaine.

■ La vision

La vision est un mécanisme physiologique grâce auquel les stimulus lumineux produisent des sensations. Le cerveau interprète les informations que reçoivent les yeux et les décode.

Chez l'humain, la perception du monde extérieur par la vision comporte quatre éléments :
- la vision des formes;
- la vision des distances;
- la vision des couleurs;
- la vision des mouvements.

L'adaptation rétinienne permet à l'œil de s'adapter à une faible luminosité; l'accommodation du cristallin permet de voir des objets proches ou éloignés.

■ LA VISION CIRCULAIRE : DE GAUCHE À DROITE

Les yeux de la majorité des gens sont à une hauteur variant entre 1,60 m et 1,83 m par rapport au sol. Les yeux effectuent un balayage circulaire généralement de gauche à droite, plutôt que de haut en bas ou de bas en haut. Le mouvement naturel des yeux peut cependant être distrait par une ligne ou une couleur et se diriger vers un autre champ visuel.

Figure 5.1 – Balayage de gauche à droite de la vision circulaire

■ LE CENTRE VISUEL OU CENTRE D'INTÉRÊT

On appelle « centre visuel » ou « centre d'intérêt » le point où le regard du passant se pose en premier quand il regarde une vitrine ou une présentation. Le centre visuel s'élabore autour de l'élément principal de la présentation; il est habituellement créé par des effets d'éclairage ou par des couleurs.

Le centre visuel peut s'imposer par sa couleur, sa forme ou par la place qu'il occupe dans l'ensemble. Son rôle est de briser la monotonie visuelle d'un ensemble sans dominante.

Figure 5.2 – Le centre visuel ou centre d'intérêt

En conséquence, les présentations doivent être construites en fonction de la vision humaine. Pour déterminer le meilleur endroit où situer le centre visuel il suffit :

- d'évaluer la hauteur moyenne des yeux des passants par rapport à la hauteur de la vitrine;
- d'estimer le sens de la circulation;
- de prévoir la distance moyenne d'où la présentation sera vue;
- de tenir compte du fait que les gens circulent à pied ou en voiture.

5.4 LA COMPOSITION

En présentation visuelle, on appelle « composition » l'art de faire un tout de plusieurs objets. Il s'agit de combiner plusieurs formes, plusieurs lignes et plusieurs couleurs en tenant compte de leur impact à l'intérieur d'un espace, d'une vitrine ou d'une boutique. La composition est la mise en forme d'une idée ou d'un concept.

Réaliser un étalage s'apparente davantage au décor, à l'architecture et à la sculpture qu'au tableau, car il implique un travail en trois dimensions (3D). Comme dans un décor, la présentation visuelle est composée de lignes 1D, de surfaces 2D et de volumes 3D. L'harmonie et l'équilibre de la présentation sont donc créés non seulement en fonction des lignes et des surfaces, mais aussi en fonction des volumes et des masses, des parties pleines et des parties vides. Pour réussir des compositions équilibrées, il est toujours plus simple de travailler avec des éléments de volumes différents et en nombres impairs.

La composition de la présentation est subordonnée à plusieurs éléments : au thème choisi, à la marchandise, au choix de la couleur, à l'angle de présentation déterminé et à l'intensité de la lumière. En plus d'être harmonieuse, la composition doit montrer clairement et sans équivoque les produits à vendre ou les idées à promouvoir.

■ LES VOLUMES

On appelle « volume » l'espace qu'occupe un objet à trois dimensions.

La présentation visuelle est presque exclusivement une création en trois dimensions. La profondeur, la hauteur et la largeur mettent les masses en valeur.

Dans une composition, les espaces vides jouent un rôle important. Ils permettent à la présentation de « respirer » et aident à la compréhension de l'ensemble en accentuant la dimension des volumes. Ces espaces sont comparables aux marges et aux espaces entre les paragraphes dans un texte. Une composition trop serrée, sans espaces vides, semblera chaotique, désordonnée et, à la limite, incompréhensible.

La dimension des volumes est aussi une donnée de base dont on doit tenir compte dans une présentation visuelle. Le choix des couleurs et des textures contribuera à accentuer ou à atténuer ces volumes.

■ L'ÉQUILIBRE

On appelle « équilibre » la répartition harmonieuse entre les surfaces, les volumes, les vides, les lignes. Dans une composition équilibrée, chaque élément a sa place propre. L'addition, la soustraction ou la transposition d'un seul élément peut briser cet équilibre.

Avant de s'occuper des détails de l'installation d'un étalage, il faut tout d'abord se préoccuper des rapports de volume et de masse entre les objets, et voir s'il est possible de créer un équilibre et une harmonie entre ceux-ci.

Dans la construction d'un immeuble, la hauteur et la largeur des portes et des fenêtres doivent être proportionnelles à l'ensemble du bâti si l'on veut que l'édifice soit esthétique. C'est exactement la même chose en présentation visuelle : dans un étalage, il est essentiel de distribuer les masses de façon harmonieuse en tenant compte de l'espace disponible.

Figure 5.3 – Déséquilibre de forme et de masse

La diversité des masses est souvent la clé d'une composition réussie. Il est donc souhaitable de travailler avec des éléments de grosseurs différentes, afin d'éviter une certaine monotonie créée par des volumes semblables. Tomber dans l'excès contraire en utilisant des volumes dont les proportions sont trop différentes produira un effet néfaste. L'idéal est d'utiliser un ensemble de volumes qui s'équilibrent harmonieusement et auxquels on peut ajouter des objets ou des accessoires de petites dimensions, qui trouveront facilement leur place. Néanmoins, la répétition de la même masse peut, dans certains cas, créer une composition réussie.

■ LA COMPOSITION SYMÉTRIQUE

Un agencement symétrique est composé d'un élément dominant au centre et, de chaque côté, d'éléments secondaires de poids visuel semblable.

Figure 5.4 – L'équilibre symétrique

Chez les Grecs, le mot « symétrie » signifiait harmonie de mesures. La symétrie se retrouve partout dans la nature. Voilà pourquoi nous l'acceptons tout naturellement et nous nous y conformons.

Dans une composition symétrique, un axe central partage la composition en deux moitiés identiques. L'élément principal domine ce qui l'entoure. Les autres objets sont subordonnés à cette première mise en place, et les mêmes volumes sont répétés de chaque côté de façon identique.

En présentation visuelle, la symétrie peut être partielle ou complète. Le poids visuel de chaque masse devra être sensiblement le même pour conserver l'équilibre visuel. Si, par exemple, tous les éléments sombres s'entassent d'un seul côté, on créera un déséquilibre en donnant l'impression d'une lourde charge mal distribuée. Cependant, une légère disproportion entre les parties de gauche et de droite peut souvent passer inaperçue, si l'effet de stabilité est maintenu. Ce style de positionnement est souvent utilisé pour des présentations de masse ou les soldes. C'est une façon facile, ordonnée et efficace d'exposer plusieurs articles. En outre, il est plus facile de réaliser une composition symétrique quand plusieurs personnes travaillent à un même projet.

LA COMPOSITION ASYMÉTRIQUE

Un agencement asymétrique est un agencement d'où est exclue toute ordonnance symétrique.

Figure 5.5 – La composition asymétrique

La composition asymétrique regroupe des éléments dissemblables par leurs formes, leurs couleurs et leur poids visuel. À première vue, les éléments semblent disposés sans planification, même si ce n'est pas le cas. Ce type de composition est plus dynamique que la composition symétrique et permet d'agencer des formes différentes. Travailler en asymétrie entraîne plus de difficultés que de travailler en symétrie.

Pour réussir des combinaisons asymétriques équilibrées, il faut tenir compte du poids visuel de chacun des éléments à agencer. Les éléments forts – couleurs vives et formes inusitées – devront être contrebalancés par des éléments neutres ou plus sobres et des espaces vides, afin d'éviter le désordre visuel.

La vitrine asymétrique classique s'inspire souvent de la forme en S, de la forme triangulaire ou pyramidale, ou de la forme en escalier.

LES ÉLÉMENTS DOMINANTS

Dans une composition, un élément dominant est un élément que l'œil découvre sans effort, d'un premier regard.

Figure 5.6 – Les éléments dominants

➤ Certains éléments d'une composition sont dominants par leur taille, par leur couleur, par leur forme, par les éléments secondaires qui gravitent autour d'eux ou par l'importance que leur donne l'éclairage.

➤ Dans un étalage commercial, la marchandise doit le plus souvent primer et retenir l'attention.

Par exemple, un mannequin habillé d'une somptueuse robe peut dominer une composition par sa taille et par les couleurs de son vêtement. Par contre, un tout petit objet, appuyé par un éclairage soigné et des éléments de soutien, peut devenir l'élément dominant d'une présentation et capter l'œil du passant. Il arrive souvent que l'ensemble du décor soit le premier élément de la vitrine qui attire l'attention

■ LES CONTRASTES

Le contraste est la juxtaposition de formes, de proportions, de lignes, de couleurs et d'angles différents dans une composition.

En présentation visuelle, on peut obtenir un effet de contraste de plusieurs façons :
• contraste de couleurs et de textures : une paire de chaussures rouges sur un fond de gazon vert;

Figure 5.7 – Les contrastes

• contraste d'époque : un objet ancien parmi des éléments modernes;
• contraste dans la taille : une poupée à côté d'un éléphant;
• contraste par le rapprochement d'éléments inusités : un outil de jardinage servant à présenter un flacon de parfum.

■ LES PROPORTIONS

On appelle « proportions » le rapport de grandeur entre les parties d'un ensemble ou entre les parties et le tout. Un objet peut sembler parfaitement proportionné dans un contexte et complètement disproportionné dans un autre.

Figure 5.8 – Les proportions

En présentation visuelle, fausser la relation de proportions, de poids ou d'échelle entre les éléments d'une vitrine peut servir à accrocher le regard.

➤ Une paire de chaussures de bébé semblera plus petite et plus délicate à côté d'un immense ourson en peluche, à condition que les chaussures constituent le centre visuel (si c'est le produit à vendre) et que le message visuel soit bien compris. L'effet peut être renforcé par un éclairage directionnel sur l'objet à vendre.

➤ Nous savons qu'un mannequin de vitrine est fabriqué à l'échelle humaine. En plaçant près de lui une chaise géante, il semblera plus petit. De même, les mannequins de grande ou de petite taille paraîtront de taille standard si on les juxtapose à des éléments à leur échelle.

■ LE RYTHME

La répétition d'éléments selon une structure ou un motif régulier constitue le rythme.

La répétition d'éléments de couleurs, de lignes ou de formes semblables renforce l'objet d'une présentation, qui devient dominant et crée un certain rythme visuel.

Pour rendre vivant un étalage, il suffit parfois de répéter un motif ou un objet de façon à donner à l'ensemble un certain rythme. Ce rythme est créé par la succession des mouvements variés engendrés par les lignes de la composition.

Figure 5.9 – Le rythme

Ainsi, un petit objet dans une grande vitrine aura peu d'impact. Par contre, des douzaines de petits objets semblables et alignés attireront le regard et constitueront le point d'attraction. On produira un autre effet en créant une rupture de rythme : si, par exemple, parmi la séquence de petits objets, l'un d'entre eux est de couleur différente, il deviendra l'article dominant de la présentation et l'effet sera renforcé.

5.5 LA LIGNE

La ligne, en présentation visuelle, est la colonne vertébrale d'une composition. Elle soutient et harmonise l'ensemble, mais surtout elle attire et guide l'œil. Elle peut amener le regard à l'extérieur de la composition, mais elle peut aussi orienter le regard vers le centre visuel.

En présentation visuelle, la réussite d'un design n'est pas fonction de la quantité de lignes, mais plutôt du choix judicieux et de l'équilibre de celles-ci.

Les lignes peuvent se conjuguer, et c'est de leurs contrastes que ressortent l'équilibre et l'harmonie. Quand on utilise plusieurs lignes dans une composition, il est impératif d'avoir une ligne dominante et des lignes complémentaires. Une présentation qui ne comporterait que des lignes verticales serait sèche et monotone. Les lignes parallèles n'offrent pas de contraste. Au contraire, les lignes brisées se confrontent les unes aux autres.

Les combinaisons excessives de lignes et d'éléments différents détruisent l'unité de la composition. L'ensemble doit être clair, sans être encombré de lignes, de formes et de surfaces inutiles, et il est préférable d'en compter peu que trop.

■ La ligne verticale

Figure 5.10 – La ligne verticale en composition

➤ Dominante, la ligne verticale produit une illusion de hauteur et de minceur.

➤ Elle crée des images directes, fortes, rigides et précises.

➤ Elle équilibre une présentation horizontale.

➤ Répétée, elle peut rendre la présentation sèche et monotone.

■ La ligne horizontale

Figure 5.11 – La ligne horizontale en composition

➤ Répétée sur un format rectangulaire, elle découpe la surface en petites bandes transversales et la fait paraître plus large.

➤ Elle inspire la paix, le calme et le repos.

➤ Répétée, elle peut rendre la présentation sèche et monotone.

◼ LA LIGNE COURBE

Figure 5.12 – La ligne courbe

➤ La ligne courbe adoucit une présentation conçue avec des lignes verticales.

➤ Elle suggère la grâce, le charme, la féminité, rappelle la sphère terrestre, le soleil, la lune, etc.

➤ Répétée, elle crée un effet de mollesse et d'instabilité.

◼ LA LIGNE DIAGONALE

Figure 5.13 – La ligne diagonale

➤ La ligne diagonale combine les propriétés de la ligne horizontale et de la ligne verticale.

➤ Elle crée un effet de mobilité, de force et de dynamisme.

➤ Elle ajoute du mouvement à une présentation statique (en ligne verticale ou horizontale).

À moins de rechercher un effet particulier, il vaut mieux éviter les lignes diagonales répétées, car elles s'opposent les unes aux autres et peuvent produire une impression d'agressivité.

5.6 LES PRINCIPAUX TYPES DE COMPOSITION

LA COMPOSITION PYRAMIDALE OU TRIANGULAIRE

Qu'on la nomme composition pyramidale (verticale ou horizontale) ou encore composition triangulaire (rectangulaire ou équilatérale) il s'agit de la composition la plus facile à réussir pour la présentation d'objets ou de vêtements.

La composition pyramidale peut être symétrique ou asymétrique. Elle a souvent la forme d'un triangle (parfois d'une pyramide) ou de plusieurs triangles regroupés. L'objet principal à exposer occupe la partie visuelle la plus intéressante de la composition, celle qui se situe à la hauteur des yeux. Les autres produits occupent des positions secondaires, soit à gauche et à droite de l'objet principal, soit plus bas ou plus haut que la hauteur des yeux, formant un triangle ou une pyramide.

➤ La pyramide peut être inversée, utilisée en forme d'éventail ou autrement.

Figure 5.14 – La composition pyramidale ou triangulaire

➤ La monotonie de ce genre de composition sera brisée par une ligne droite verticale, par une ligne droite horizontale ou par une ligne diagonale.

➤ Pour faciliter la composition pyramidale réalisée avec de petits objets, il faut prévoir des supports ou des présentoirs de différentes hauteurs.

▪ LA COMPOSITION EN S OU EN ZIGZAG

La composition en S ou en zigzag est une variante de la composition asymétrique. La douceur de la ligne courbe est excellente pour montrer des produits de luxe dans une présentation non conventionnelle.

Figure 5.15 – La composition en S ou en zigzag

Toutes ces connaissances techniques ne doivent pas faire oublier qu'un bon concept est essentiel à la réussite d'un projet. Il faut donc se rappeler que, dans une présentation visuelle, l'absence de concept est une lacune que rien ne peut combler.

LE MONTAGE 3D

6.1 Les matériaux de base

En présentation visuelle, le travail du designer ne se limite pas qu'à l'installation de produits à vendre. Il comporte souvent des travaux légers d'entretien, de réparation et de peinture d'accessoires. Le designer de présentation a besoin, pour travailler, d'un espace proportionnel à l'envergure de ces travaux. Les travaux nécessitant un outillage spécialisé seront exécutés en atelier par des professionnels.

■ Le cartomousse (foamcore)

En raison de son coût très bas et de sa légèreté, le cartomousse est souvent utilisé dans les ateliers de présentation visuelle. Fait d'une feuille de styromousse laminée, placée entre deux feuilles de papier, son épaisseur peut varier. Il est offert en blanc, en beige, en noir et dans différentes couleurs. Le cartomousse est très malléable : il se coupe facilement avec un couteau utilitaire (X-Acto), se plie, se peint aisément et s'adapte bien aux travaux en 3D. On peut l'épingler et le coller sans problème et s'en servir pour faire de l'affichage. Le cartomousse doit être traité avec soin, car il est fragile et possède une durée de vie limitée. L'achat d'une grande quantité de feuilles de grands formats est économique.

■ Le polypropylène ondulé (coroplast)

Léger, peu coûteux et vendu dans une vaste gamme de couleurs, le polypropylène ondulé est idéal pour l'affichage. Plus difficile à plier et à travailler en 3D, il est cependant moins polyvalent que le cartomousse. On peut le coller, le peindre ou l'utiliser en sérigraphie.

■ L'homasote

L'homasote est fait de fibres compressées. Peu coûteux, il est vendu en format de 4 pi sur 8 pi (1,22 sur 2,44 m), d'une épaisseur de 5/8 po (1,5 cm) ou de 3/4 po (1,9 cm). À épaisseur égale, l'homasote est plus léger que le contreplaqué. Il offre une certaine rigidité tout en étant assez souple pour être épinglé et agrafé. Ce matériel est idéal pour couvrir des fonds de vitrine destinés à être tendus de tissu ou peints. On l'emploie également pour fabriquer des présentoirs semi-permanents et des panneaux de présentation. Il se coupe généralement avec une scie électrique ou avec un couteau utilitaire.

■ LES PAPIERS ET LES CARTONS

Le marché offre plusieurs sortes de papiers et de cartons. En présentation visuelle, le papier le plus utilisé est le papier de fond (*seamless paper*). Il est vendu dans une vaste gamme de couleurs et offert en rouleaux très longs et très larges. C'est ce papier qu'utilisent les photographes en studio. Économique, il peut servir de fond dans une vitrine ou être sculpté, déchiré, collé ou chiffonné. Après quelques jours dans un espace ensoleillé, les couleurs, si vives au départ, pâlissent. Il existe également des papiers et cartons ignifuges, c'est-à-dire à l'épreuve du feu.

■ LES VINYLES ET LES TISSUS

En présentation visuelle, les tissus et les vinyles sont souvent tendus sur des pièces d'homasote pour servir de fond à des vitrines ou à des présentations. Composés de fibres naturelles, synthétiques ou métalliques, ils sont tous utilisables pour autant qu'ils respectent l'esprit de la présentation. Cependant, il faut être vigilant en ce qui concerne les fibres naturelles, car elles perdent rapidement leurs couleurs.

Les tissus et les vinyles se prêtent également aux drapés. Un tissu de très bonne qualité est indispensable pour réaliser un drapé. Si le tissu a peu de corps, s'il est mou et mince, le travail ne sera pas satisfaisant.

6.2 LES OUTILS DE BASE

L'étalagiste, qui effectue des montages à plusieurs endroits, voudra avoir à portée de la main les outils et le matériel dont il a généralement besoin. Cela lui facilite le travail et lui évite de perdre du temps. Pour faire des présentations d'articles dans un magasin, un étalagiste n'a pas les mêmes besoins que pour faire des accrochages dans des endroits inhabituels. Voilà pourquoi il est important de se procurer un coffre à outils et de savoir quoi y mettre.

■ LE COFFRE À OUTILS

Au moment de se procurer un coffre à outils, il est bon de se rappeler les quelques conseils suivants : choisir un coffre dont la poignée est suffisamment large pour offrir une prise confortable ; s'assurer que le fermoir est à toute épreuve ; choisir un coffre muni de compartiments transparents si l'on veut classer vis, clous et attaches de toutes sortes, et les repérer d'un coup d'œil.

Un coffre à outils est une chose personnelle que l'on constitue petit à petit, mais il est inutile de traîner tout un atelier avec soi.

Figure 6.1 – Le coffre à outils

En règle générale, le coffre à outils d'un designer de présentation contient des épingles de plusieurs dimensions, un pousse-épingle, du fil de métal et de nylon de différentes grosseurs, un ou plusieurs couteaux utilitaires, des agrafeuses et des agrafes de différentes grosseurs, un pistolet à colle et des bâtons de colle, un marteau, un tournevis à pointes multiples, des pinces coupantes, des ciseaux, des crochets à plafond (*barnacles*), quelques attaches de plastique (*tie wrap*), un ruban à mesurer et, un outil à ne pas oublier, un petit niveau, instrument très utile pour vérifier si les objets sont placés bien droits. Pour des montages plus élaborés, on ajoutera quelques outils de menuiserie à son coffre. Il arrive que des objets inusités puissent dépanner; le coffre à outils du designer de présentation peut donc contenir des cuillères, des couteaux de cuisine, des trombones, etc. Pour ne pas égarer ses outils, il est prudent de bien les identifier.

Figure 6.2 – Crochets à plafond

LES ÉPINGLES

Quel que soit le travail du designer de présentation, les épingles sont des articles indispensables. Il en existe de toutes les formes, de toutes les longueurs et de toutes les grosseurs. Certaines épingles cassent facilement quand on les plie ou quand on les pique dans une surface un peu dure. Gare aux yeux ! Ces épingles ne sont pas sécuritaires pour les designers qui travaillent en équipe ou à proximité des gens. Il faut les éviter.

Les **épingles fines**, quasi invisibles, s'emploient sur les vêtements délicats, où elles ont l'avantage de ne laisser aucune trace. Autant que possible, on doit piquer les épingles dans les coutures pour éviter les risques de marques. Pliées en deux, les épingles peuvent servir de crochets; elles sont également utiles pour suspendre les vêtements (voir le chapitre 7). Quand on installe des objets, les épingles se révèlent indispensables, car elles aident à stabiliser le « petit élément » qui ne veut pas tenir en place.

Les **épingles moyennes** ont la même utilité que les épingles fines, mais elles sont réservées à des tâches qui demandent moins de finesse. On s'en sert, entre autres, pour ajuster un vêtement trop grand sur un mannequin. Les épingles moyennes sont utilisées le plus souvent pour épingler les vêtements sur des panneaux de présentation. Deux épingles moyennes, ancrées en X, se révèlent un support résistant pour

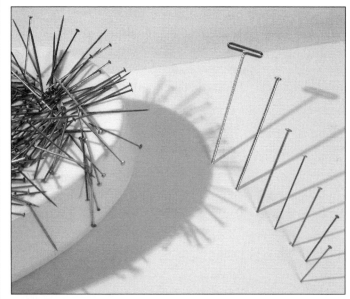

Figure 6.3 – Les épingles

suspendre un vêtement ou un objet. Camoufler la présence des épingles est tout un art (voir le chapitre 7) !

Les **très grosses épingles** ressemblent plus à des clous qu'à des épingles. On se sert souvent d'un pousse-épingle ou d'un marteau pour les fixer. Il est plus avantageux d'utiliser des épingles géantes que des clous car, une fois enlevées, ces épingles ne laissent que de très petits trous. Employées sur un mur de gypse, elles sont pratiques; avec des matériaux légers, comme le cartomousse, elles permettent d'en rassembler deux morceaux mieux que la colle. Il faut alors les piquer en diagonale pour leur donner plus de solidité. Les têtes qui demeurent apparentes doivent être peintes de la même couleur que le fond. Fabriquer des crochets avec des épingles géantes dépanne très souvent lorsqu'on travaille sur de grands montages.

Utiliser les épingles avec des tissus fins exige beaucoup de vigilance. Il faut s'assurer que les épingles ne glissent pas entre les fibres ou ne pénètrent pas dans les fibres, car elles y laisseront des trous. Le cas échéant, avec un peu de chance, on arrive parfois à replacer les fibres en se servant de la vapeur, mais, dans certains tissus, comme la soie, le petit trou restera. Un trou d'épingle dans du cuir ne se répare pas. Il faut donc piquer les épingles dans les coutures afin de diminuer les risques d'endommagement.

Les **épingles à fourrure** sont des épingles en forme de T. Vendues en plusieurs tailles, elles servent à fixer solidement un article. Leur tête les empêche de passer à travers les cartons ou les tissages lâches. Elles peuvent également servir d'ancrage.

Les **épingles à bijoux** servent à fixer discrètement un objet. Elles sont vendues dans les bijouteries. Ces épingles, en forme de U, sont faites de deux pointes d'épingle reliées ensemble par un petit renflement destiné à retenir le bijou. Elles peuvent servir à épingler de la lingerie ou à fixer un cordonnet.

■ LE POUSSE-ÉPINGLE

Essayer un pousse-épingle, c'est l'adopter ! Cet outil de petite dimension est facile d'emploi et, pour enfoncer une épingle, il remplace avantageusement le marteau et... les doigts ! À première vue, le pousse-épingle ressemble à un tournevis dont la pointe serait trouée. Il suffit d'insérer l'épingle à piquer à l'intérieur de la pointe du pousse-épingle, où elle sera retenue par un aimant, puis d'appuyer l'instrument sur la surface pour faire pénétrer l'épingle. Un petit ressort, inséré dans l'outil, sert à pousser l'épingle et à l'introduire facilement dans une

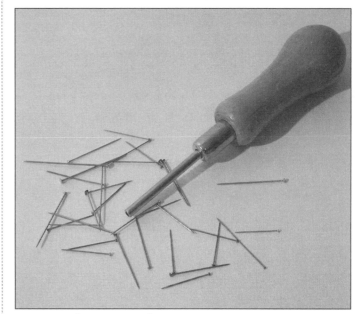

Figure 6.4 – Le pousse-épingle

surface de moyenne densité. Il est inutile de tenter d'enfoncer une épingle dans du stratifié ou dans tout autre matériau très dur. L'épingle ne résistera pas et pliera plutôt que de s'enfoncer.

Le pousse-épingle est vendu chez les fournisseurs de matériel d'étalage. Il s'adapte aux épingles moyennes et fines. Pour les épingles géantes, les centres de rénovation vendent une version « pousse-clou ».

■ LES FILS DE MÉTAL

Les fils servant à suspendre des objets doivent se faire très discrets et, idéalement, être invisibles. Le fil de fer existe dans une ample variété de grosseurs; on peut se le procurer dans les boutiques spécialisées en fournitures d'étalage. Les fils les plus fins sont aussi minces qu'un cheveu, et les plus gros ont la taille d'une ficelle. Pour suspendre de la lingerie, on choisira le fil le plus fin, alors que les objets plus lourds nécessiteront des fils plus robustes. Pour des montages très lourds, on trouve en quincaillerie des fils de fer résistants et des câbles d'acier.

Voici quelques avantages à travailler avec le fil de métal :
- il est solide tout en étant flexible;
- piqué dans des vêtements légers, il risque moins d'y faire de petits trous;

- il ne nécessite pas de nœuds, il suffit de rouler les fils ensemble et de s'assurer de leur solidité (pour allonger ou diminuer la longueur du fil, on déroule ou on enroule le fil à la longueur désirée; ne pas avoir de nœuds à défaire pour ajuster la longueur d'un fil est bien commode, surtout si l'on est perché sur un escabeau ou installé dans un espace réduit);
- on peut doubler un fil trop mince si l'objet à suspendre est un peu lourd;
- on peut ancrer les fils à un grillage, à des crochets, à des agrafes ou à des épingles piquées solidement.

Figure 6.5 – Les fils de métal

Les fils de métal, souvent noirs, sont très visibles sur un fond clair. Pour les rendre moins discernables, il suffit, une fois qu'ils sont en place et bien tendus, de les peindre de la couleur du fond. L'éclairage se fait souvent complice pour atténuer leur visibilité.

Un fil lourd qui retient un objet léger ne pourra être tendu, alors qu'un objet lourd retenu par un fil trop fin cédera. Quel que soit l'objet à suspendre, celui-ci tournera sur lui-même si on n'utilise qu'un seul fil. Il faut donc enrouler en vrille un second fil au premier afin d'immobiliser ce dernier. Pour éviter que le second fil ne se détache on doit l'enrouler deux fois.

■ LES FILS DE NYLON

Les monofilaments de nylon utilisés en étalage sont les mêmes que ceux dont les pêcheurs à la ligne se servent. Ils sont transparents et très résistants. On en trouve dans les magasins de fournitures d'étalage, mais les magasins spécialisés dans les articles de pêche offrent un meilleur choix quant à la taille et à la robustesse ainsi que de meilleurs prix.

La plus grande qualité des monofilaments est leur discrétion; leur plus grand défaut, une fâcheuse tendance à s'étirer légèrement. Le poids d'un objet suspendu resserrera davantage les nœuds. Le fil s'étirera surtout sous la chaleur des

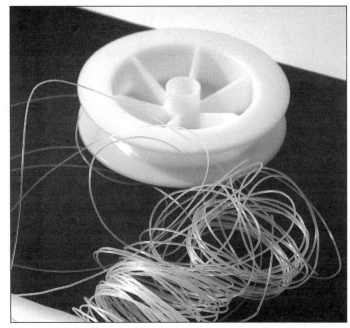

Figure 6.6 – Les fils de nylon

éclairages ou du soleil. L'objet, même installé bien droit, se retrouvera en déséquilibre au bout d'un certain temps. On notera qu'il est parfois difficile de faire des nœuds bien serrés avec les gros fils de nylon.

Gare aux monofilaments fins qui ont tendance à s'enchevêtrer ! Quand on est perché sur un escabeau, la dernière chose dont on a besoin, c'est de démêler une bobine de fil.

LE NŒUD DE PENDU

Malgré son nom macabre, le nœud de pendu reste un des plus utiles. Après la torsade Bimini, il est le nœud le plus solide et le plus sécuritaire. Le fait que le nœud soit constitué de plusieurs tours lui permet de supporter de grandes charges et de résister à la friction. Pour un meilleur résultat, il faut s'assurer de serrer les tours tout près les uns des autres.

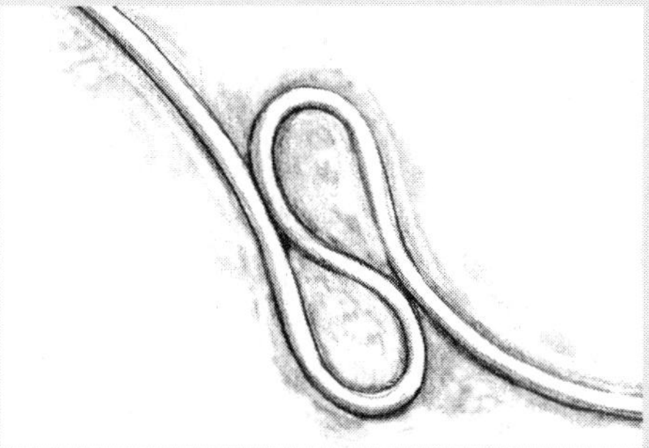

1 Former deux boucles avec une corde ou une ficelle.

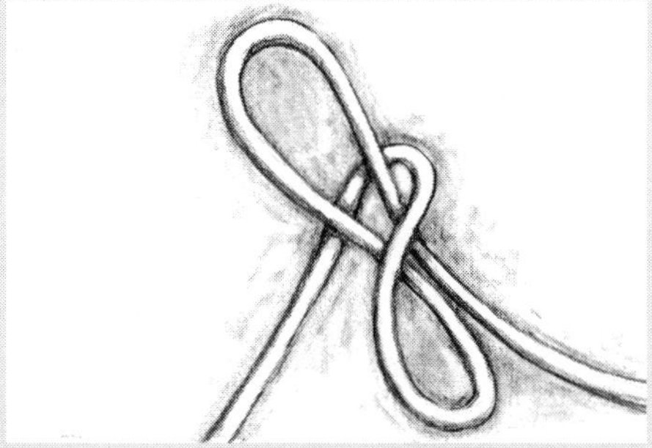

2 Faire un premier tour au centre des boucles.

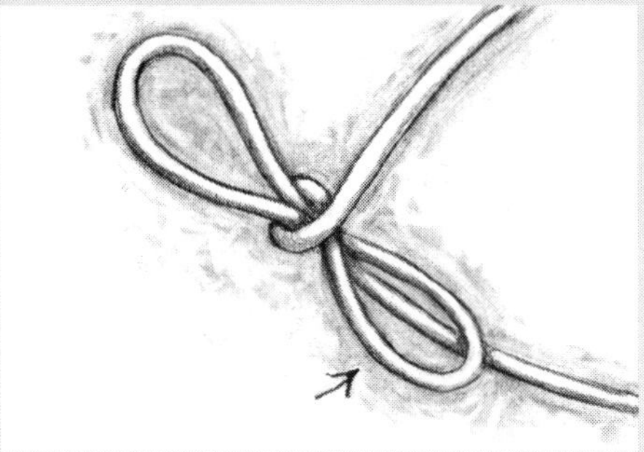

3 S'assurer que l'extrémité de la corde est à l'intérieur d'une des boucles.

4 Continuer d'enrouler en croisant le deuxième tour sur le premier.

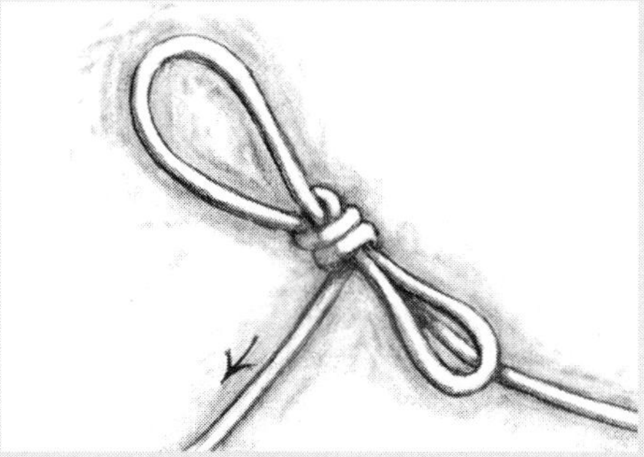

5 Bien serrer chaque tour en tirant constamment sur la corde.

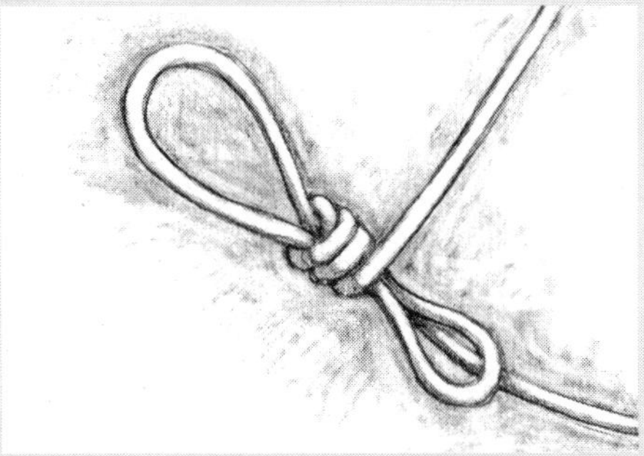

6 Continuer d'enrouler en serrant les tours très près les uns des autres.

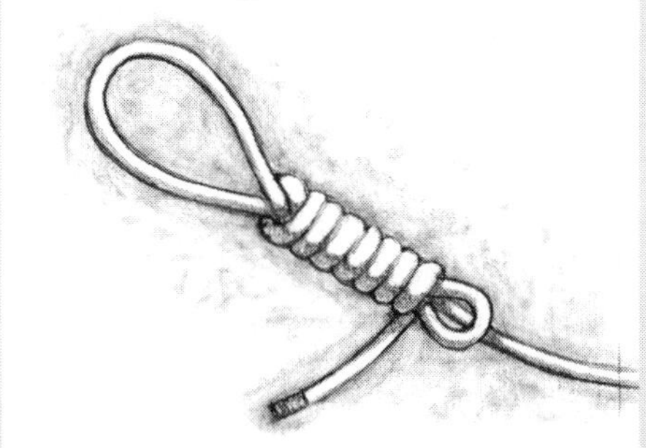

7 Faire au moins sept tours (un tour pour chacune des sept mers d'après le folklore marin).

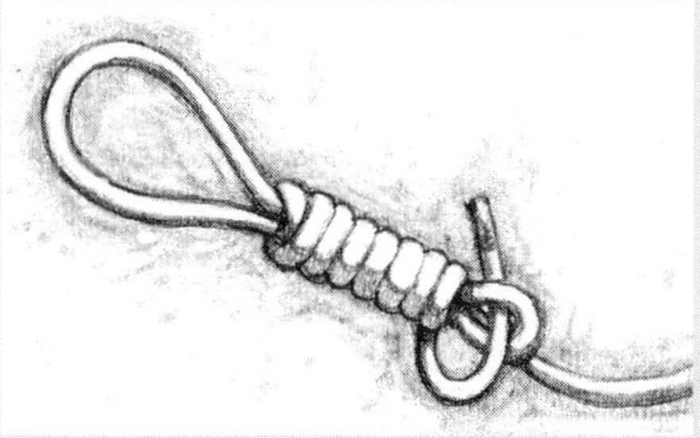

8 Enfin, repasser la corde dans la plus petite boucle et refermer le tout en tirant sur une des extrémités de la grande boucle.

Figure 6.7 – Comment faire un nœud coulant avec le fil de nylon

▪ L'AGRAFEUSE

L'agrafeuse est un outil qui assure un travail propre et bien fait. On se sert de cet outil pour à peu près tous les types de travaux, mais surtout pour recouvrir un matériau ou pour fixer des accessoires. On trouve facilement sur le marché l'agrafeuse à main classique, offerte en différents formats. Il existe aussi des modèles électriques et des modèles pneumatiques qu'on doit brancher sur un compresseur. Il ne sera pas question ici des cloueuses, qui ont leur place dans un atelier de fabrication de décors, mais plutôt des agrafeuses portatives que l'on utilise pour les montages.

Se munir du bon outil une fois qu'on a bien cerné ses besoins en matière de fixation est facile. Les modèles robustes sont très populaires en version manuelle ou électrique. Les agrafes qui conviennent à ces modèles sont vendues dans une gamme étendue de diamètres et de profondeurs. Les agrafes les plus longues et les plus grosses sont, bien sûr, les plus solides, car elles sont munies de crampons qui les empêchent de se détacher. Si l'on doit agrafer durant un long moment ou à plusieurs reprises pour tendre des tissus sur des panneaux, il vaut mieux se procurer un modèle électrique. On utilisera alors les mêmes agrafes que pour une agrafeuse manuelle. Par contre, le designer qui travaille à des présentations en vitrine trouvera encombrant de devoir brancher son outil pour un seul usage de quelques minutes.

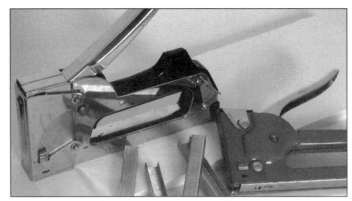

Figure 6.8 – L'agrafeuse

Les modèles moyens, vendus uniquement en version manuelle, sont ceux qui répondent le mieux aux besoins courants. Plus légers, on peut les utiliser toute une journée sans qu'ils causent d'inconfort ni de douleur au poignet. Les agrafes de ces modèles sont offertes en plusieurs grosseurs.

Les petites agrafeuses sont idéales pour les travaux légers. Leurs agrafes sont aussi vendues en plusieurs grosseurs. À l'occasion, on peut se servir des agrafeuses de bureau, mais leurs agrafes, trop fines, ne sont pas très efficaces.

La façon la plus « sûre » de briser une agrafeuse est d'y insérer les mauvaises agrafes. On peut réparer cette erreur courante en extrayant prudemment les agrafes coincées à l'aide d'une pince à long bec. Si une pièce de l'agrafeuse se brise, il est possible de la faire réparer, mais il est parfois préférable de la remplacer étant donné que les agrafeuses neuves ne coûtent pas cher.

▪ LE PISTOLET À COLLE

Que de temps et d'énergie économisés grâce à cet outil indispensable! Peu coûteux, le pistolet à colle résout la plupart des problèmes de collage en présentation visuelle : la qualité première de la colle chaude étant d'agir instantanément en refroidissant.

Les quincailleries, les magasins de fournitures d'étalage et les fleuristes offrent plusieurs modèles qui répondent à des besoins différents.

Les petits pistolets à colle, qui fonctionnent avec des tubes de colle de petit diamètre, sont parfaits pour le bricolage léger, c'est-à-dire pour les travaux ne nécessitant qu'une ou deux gouttes de colle. Leur bec très fin permet de contrôler le débit et d'éviter les dégâts. Les petits pistolets ont leur place dans un coffre à outils comme instrument de dépannage; cependant, ils ne conviennent pas aux travaux d'envergure, car l'élément chauffant qui sert à faire fondre le bâton de colle n'est pas assez puissant pour produire un débit continu de colle.

Si l'on se procure un pistolet à colle pour les travaux en atelier, on doit rechercher le modèle le plus puissant, celui dont l'élément chauffant permet de produire le débit de colle le plus chaud et le plus long. Comme pour n'importe quel appareil électrique, le pistolet à colle a besoin de puissance.

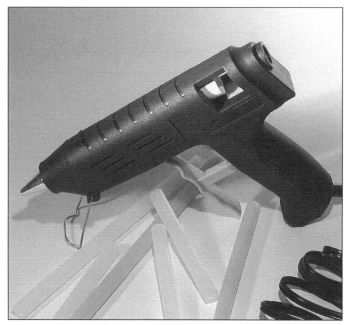

Figure 6.9 – Le pistolet à colle

Pour être efficace, la colle doit sortir du pistolet, liquide et fumante. Les pièces à coller se soudent alors très étroitement, sans espacement entre elles. Si la colle n'est pas assez liquide, donc pas assez chaude, elle formera un serpentin en relief et laissera un espacement entre les pièces à coller. En refroidissant, la colle atteint son adhérence maximale; ainsi, une colle qui n'est pas suffisamment liquide ne tiendra pas et se détachera facilement. Les problèmes de collage au pistolet viennent presque toujours d'un manque de puissance du pistolet et rarement de la colle.

Voici quelques conseils pour conserver longtemps un pistolet à colle en bon état :

- éviter, bien sûr, de l'échapper;
- déposer le pistolet **droit sur une table et non à plat** pour éviter que la colle fondue ne sorte par le côté plutôt que par le bec;
- lorsqu'on vient de brancher l'appareil, ne pas actionner la gâchette (car la colle est encore dure) et attendre patiemment que la colle devienne liquide (sinon, on risque de briser le ressort en le forçant).

La colle en bâton donne de bons résultats sur les matériaux légèrement poreux comme le bois, le papier, le carton, etc. Sur le plastique, les surfaces peintes, la fibre de verre ou le métal, la colle formera une grosse goutte qui se détachera au moindre choc, au lieu de pénétrer légèrement dans le matériau. Pour bien coller deux surfaces peintes, on doit les poncer légèrement pour les rendre plus poreuses avant d'étendre la colle.

Il est bon de savoir que les températures extrêmes sont les ennemies du collage au pistolet. Un objet placé à une température de 0 °C ou moins, dont les pièces ont été assemblées à l'aide d'une colle en bâton, se désassemblera en peu de temps. La colle gèlera, et les surfaces se sépareront d'elles-mêmes. Par ailleurs, soumise à une chaleur extrême, la colle se liquéfiera, et les surfaces glisseront pour se détacher en douceur.

Pour coller plusieurs pièces minuscules, on peut acheter un petit récipient chauffant dans lequel on laisse fondre des granules de colle conçus à cette fin. Ainsi, on risque moins de se brûler les doigts en y trempant un petit objet qu'en essayant d'appliquer la colle avec un pistolet.

L'utilisation d'un pistolet à colle augmente le risque de brûlures. La prudence est donc de rigueur.

LES COUTEAUX UTILITAIRES (X-ACTO)

Le coffre à outils du designer de présentation ne serait pas complet sans les couteaux utilitaires à lames multiples (X-Acto) que l'on trouve dans une grande variété de modèles en quincaillerie. Les lames de ces couteaux ont entre autres pour particularité d'être rétractables; elles s'achètent à part, et il est facile de s'en procurer lorsqu'elles sont abîmées. Il faut user de prudence avec les couteaux X-Acto, car ils sont extrêmement tranchants. La moindre distraction, et c'est la catastrophe.

Le couteau utilitaire est l'instrument idéal pour couper le carton, le cartomousse, le plastique, etc. Ses lames tranchantes font des coupes parfaites, et leur flexibilité permet de découper à la perfection les matériaux légers. Cependant, utilisées sur des cartons épais, elles risquent de dévier en raison de leur grande flexibilité.

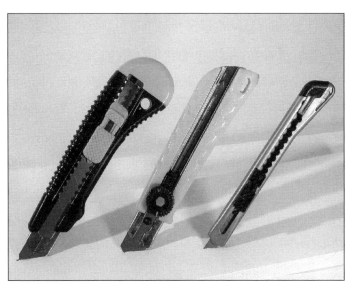

Figure 6.10 – Les couteaux utilitaires (X-Acto)

Pour réussir des coupes parfaites, il faut :

- s'installer sur une table de coupe dont la hauteur convient à sa taille (la surface doit être assez spacieuse pour permettre d'effectuer confortablement le travail);
- éviter de tailler un matériau sur une surface dure, comme le bois ou le stratifié, ce qui abîmerait inutilement la lame du couteau et la surface;
- recouvrir la table de coupe d'un tapis de coupe ou d'un carton épais et lisse, qu'il sera facile de remplacer quand ils seront abîmés;
- utiliser un couteau approprié au travail (les petits couteaux légers, conçus pour le papier, écraseront le carton ou le cartomousse au lieu de les couper);

- se servir d'une lame de couteau neuve et prévoir une façon sûre de se débarrasser des lames usagées, notamment en les déposant dans un contenant fermé (une « tirelire » à lames usagées) dont on se débarrassera en toute sécurité;
- pour effectuer des coupes bien droites, utiliser une règle de métal munie, à l'endos, d'un stabilisateur de liège, puis garder la lame à 90° par rapport à la table de travail (sans stabilisateur, la règle glissera ou bougera, la coupe ne sera pas parfaite, et on risque l'accident).

Pour faire des courbes parfaites, il est important de développer une bonne dextérité. Voici un truc facile qui peut aider à tailler un cercle parfait en papier, en carton ou en cartomousse (figure 6.11) :

- déterminer le rayon du cercle à tailler;
- découper une languette de carton qui servira de compas;
- piquer une épingle géante à travers la languette, qui se trouve être le centre du futur cercle, et à travers un autre carton épais, puis stabiliser les trois épaisseurs; ou encore mesurer le rayon en partant de l'épingle qui sert d'axe et insérer le couteau dans la languette de sorte qu'en tournant sur l'axe central le couteau découpe un cercle.

Il est important que l'axe central soit bien droit et qu'il demeure stable quand on coupe.

Il ne faut pas se décourager si le premier essai n'est pas réussi.

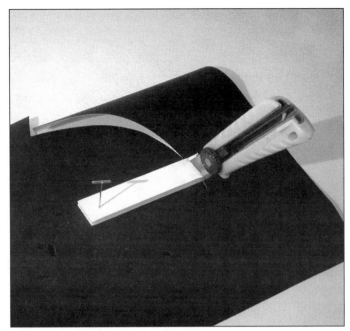

Figure 6.11 – La coupe d'une courbe

6.3 LES TYPES DE PEINTURE

La peinture est un liquide magique. Une couche de 1/16 po (0,15 cm) étendue sur une surface protège celle-ci de la détérioration et ajoute de la couleur et de la texture au décor. La peinture peut même servir à créer des illusions visuelles grâce à d'astucieuses compositions chimiques, lesquelles cependant peuvent se révéler capricieuses et poser certains problèmes techniques. La présente section donne un aperçu des peintures les plus courantes et de leurs propriétés. Son but n'est pas de présenter toute la gamme de peintures sur le marché ni d'en étudier la composition chimique, mais plutôt de fournir des trucs et des conseils pratiques quant à leur utilisation.

■ LE RAPPORT QUALITÉ-PRIX

La plupart des fabricants offrent des produits de diverses qualités, à des prix différents. Toutes les marques de peinture ne donnent pas les mêmes résultats, et il existe presque toujours un rapport entre la qualité et le prix. Une peinture de mauvaise qualité exige l'application de plusieurs couches; elle est difficile à laver et peu résistante. Pour les décors et les accessoires qui ont seulement une fonction esthétique et qui subiront peu de manipulation, la durabilité est une qualité secondaire. Par contre, une peinture qui couvre bien épargne temps et argent à son utilisateur.

LA PRÉPARATION

Une préparation adéquate de la surface à peindre est essentielle. S'il s'agit d'une surface neuve, on recommande l'application d'une couche d'apprêt (*sealer*), précédée d'un léger ponçage. Si la surface a déjà été peinte, un apprêt est nécessaire pour sceller les vieux finis ou pour aider le nouveau fini à bien tenir. Le nouveau fini et l'apprêt sont un peu comme deux pièces de velcro : pour éviter les problèmes et favoriser l'adhérence, il est préférable que l'apprêt soit apparenté au fini. Ainsi, on veillera à mettre une sous-couche d'alkyde sous un fini alkyde.

LE CHOIX DU TYPE DE PEINTURE

Avant de choisir entre une peinture au latex et une peinture alkyde, il faut savoir que les résines que chacune contient agissent différemment.

➤ Dans la **peinture au latex**, les particules sont en suspension. Ainsi, quand on peint une surface, l'eau s'évapore, et les particules de résine se compriment pour former une surface uniforme.

➤ Dans la **peinture alkyde** (composée de solvant), les particules de résine se dissolvent dans le solvant et, à l'application, s'infiltrent dans la surface. D'où la résistance supérieure de la peinture alkyde.

La différence entre peinture et émail

La différence entre une peinture et un émail réside dans la densité et la finesse des pigments qui les colorent. Les pigments de l'émail sont beaucoup plus fins et plus concentrés. Une peinture à base d'huile n'est pas nécessairement un émail, et un émail peut aussi être un latex.

LE LATEX

Les peintures au latex sont des émulsions (en Europe, « émulsion » est le terme utilisé pour désigner ce que nous nommons « latex ») composées de résine, d'eau et de pigments. La faible odeur de cette peinture et sa capacité de dilution dans l'eau la rendent très populaire. Selon l'épaisseur de la couche, la température ambiante, le degré d'humidité ou la marque de peinture, le latex met environ une heure à sécher. Cependant, on doit généralement attendre de deux à trois heures avant d'appliquer une seconde couche, selon le degré d'humidité de la pièce.

Finis et couleurs

➤ Le latex se vend en fini luisant, semi-luisant, satin, perle, velours et mat.

➤ La gamme de couleurs offerte est infinie. Si l'on n'arrive pas à trouver une couleur précise, il suffit d'apporter un échantillon de la couleur désirée dans une boutique équipée d'un ordinateur. Ce dernier calculera le dosage exact de pigments nécessaires pour obtenir la couleur souhaitée.

➤ Les couleurs foncées sont toujours plus dispendieuses parce qu'elles nécessitent l'utilisation de plus de pigments dans leur composition.

➤ **Un contenant de 4 litres couvre environ 12 panneaux de 4 pi x 8 pi ou les murs d'une pièce de 12 pi x 12 pi, ou 44 m^2.**

➤ Pour des effets spéciaux, on peut diluer le latex dans de l'eau ou du glacis commercial. On appelle ce mélange « badigeon », et il est moins opaque que la peinture régulière. Si on applique le badigeon sur une surface peinte, il crée des nuances étonnantes et produit un effet vaporeux rappelant la forme des nuages.

➤ Sauf pour des effets spéciaux, on ne doit jamais mélanger de la peinture au latex à de la peinture à l'huile.

➤ On doit vite laver une tache de peinture au latex sur un tissu, sinon elle devient permanente en un rien de temps.

Les outils suggérés

La peinture au latex peut s'appliquer avec des outils standard comme des pinceaux et des rouleaux. Pour obtenir des effets spéciaux, les brosses, les éponges, les pistolets à peinture ou les aérographes donnent de bons résultats. L'utilisation de chiffons, de pellicule plastique (*Saran Wrap*) ou d'autres matières donne des textures et des finis intéressants.

Des résultats heureux et moins heureux

Le latex donne de bons résultats sur plusieurs matériaux tels :

- le bois préparé (intérieur ou extérieur) et le gypse (on recommande de mettre une couche de scellant sur les matériaux neufs);
- le carton Gator (fine couche de bois à l'extérieur et styromousse à l'intérieur) et le styromousse;
- le cartomousse et le carton rigide, à condition de peindre les deux côtés ou un seul côté si le matériel a reçu une couche d'apprêt à l'huile.

Le latex donne de mauvais résultats sur les matières que l'eau peut abîmer : carton, papier, cartomousse, papier peint non plastifié. Il les fera onduler et tordre même si elles sont séchées à plat.

Il donne aussi de mauvais résultats sur la plupart des matières plastiques : polypropylène ondulé, styrène, plasticine, mélamine, sonotube ciré, etc. Il existe cependant quelques moyens d'améliorer l'adhérence du latex sur ces matériaux. On pourra par exemple :

- appliquer une sous-couche faite d'un mélange de colle blanche et de peinture au latex;
- poncer légèrement avant de peindre;
- appliquer une sous-couche avec un aérosol contenant du solvant.

Le latex donne également de mauvais résultats sur le métal et le bois nus. Sur le métal nu, il a tendance à s'écailler, mais une couche d'apprêt à l'huile peut régler ce problème d'adhérence. Sur le bois nu (un bois non protégé par une couche de fond), l'action de l'eau soulève les fibres du bois et le rend rugueux. Un ponçage est donc nécessaire. On suggère d'appliquer une couche de scellant à l'huile pour éviter cet ennui.

L'ALKYDE OU PEINTURE À L'HUILE

Les peintures alkydes, aussi appelées peintures à l'huile, sont une combinaison de résine synthétique, de solvant et de pigments. En séchant, le solvant et les particules de couleur pénètrent la surface. Les peintures à l'huile sont reconnues pour leur résistance. Elles constituent un excellent choix pour les endroits passants qui nécessitent un nettoyage régulier et pour peindre des décors qui doivent être déplacés. Au cours des dernières années, les fabricants ont réussi à atténuer l'odeur caractéristique et persistante de la peinture à l'huile.

On doit compter environ huit heures de séchage pour une couche d'épaisseur moyenne. Là encore, la marque, la température ambiante, l'humidité et l'épaisseur de la couche de peinture peuvent faire varier le temps de séchage. On doit attendre que la première couche soit complètement sèche avant d'appliquer la seconde. Les surfaces neuves de bois et de gypse doivent d'abord être recouvertes d'une couche de scellant.

➤ La peinture à l'huile est vendue dans une gamme infinie de couleurs et en plusieurs finis : luisant, semi-luisant, velours, mat, etc., (voir la section sur les finis).

➤ On la dilue avec un solvant (Varsol, diluant à peinture).

➤ **Une boîte de 4 litres couvre environ 12 panneaux de 4 pi x 8 pi, les murs d'une pièce de 12 pi x 12 pi, ou 44 m^2.**

➤ Une tache de peinture à l'huile sur un tissu doit vite être nettoyée avec du solvant avant qu'elle ne devienne permanente.

Les outils suggérés

Tout comme pour la peinture au latex, on applique l'alkyde avec des outils standard comme les pinceaux et les rouleaux. On peut aussi créer des effets spéciaux avec des brosses, des éponges, des pistolets à peinture ou des aérographes. L'utilisation de chiffons, de pellicule plastique (*Saran Wrap*) ou d'autres matières permet de donner des textures et des finis intéressants. (Voir la section sur le traitement des surfaces et les faux-finis.)

Tableau 6.1 – Les peintures

	SURFACES			SÉCHAGE	ODEUR	DILUANT
	FOAMCORE, CARTON...	MÉTAL, PLASTIQUE...	BOIS, GYPSE...			
LATEX	Posé sur un côté : la surface courbera avec l'humidité **Pour éviter la courbure :** appliquer un nombre égal de couches des deux côtés **ou** appliquer une couche protectrice	Tendance à écailler et à s'égratigner **Pour éviter les égratignures :** appliquer une couche d'apprêt à l'alkyde avant le latex	Toujours mettre une couche d'apprêt sur la surface nue avant d'étendre le latex	1 à 3 heures	Faible	De l'eau
ALKYDE	Bons résultats	Bons résultats	Toujours mettre une couche d'apprêt sur la surface nue avant d'étendre l'alkyde	8 à 12 heures	Forte	Du solvant

Des résultats heureux

L'alkyde donne de bons résultats sur presque tous les matériaux tels :

- le bois et le gypse bien préparés;
- le carton Gator, le cartomousse (un côté sans problème) et même le carton;
- le métal;
- plusieurs matières plastiques.

Valeur sûre, l'alkyde donne rarement de mauvais résultats. Même la styromousse ne fond pas sous son effet.

LES FINIS

Les peintures au latex et à l'huile sont vendues dans des finis luisants, semi-luisants, satinés, perlés, velours et mats (les termes peuvent changer selon les fabricants). Pour un étalage ou un décor, les finis velours et mats sont agréables à voir et à éclairer. Par contre, la moindre manipulation ou le moindre contact fera apparaître une trace blanchâtre, et les doigts laisseront des empreintes luisantes sur les objets. Les finis perlés et coquille d'œuf, moins fragiles, s'éclairent plus difficilement, mais ils supportent mieux la manipulation et ils sont lavables. Les finis semi-luisants et luisants supportent les contacts sans laisser de trace et sont également lavables. Par contre, ils doivent bénéficier d'un éclairage adapté. Appliqué sur des surfaces inégales, un fini luisant ou semi-luisant produira, pour le meilleur ou pour le pire, un effet miroir, c'est-à-dire qu'au lieu de cacher les défauts, il les mettra en évidence.

Voici les réponses à des questions que l'on se pose souvent quand on doit repeindre des murs ou des objets.

Question : Si on ignore quel type de peinture a été appliquée en premier, peut-on ne pas en tenir compte ?

Réponse : Si on ignore quel type de peinture a été utilisée, il est préférable de sceller la surface en donnant une couche d'apprêt à l'huile, suivie d'une ou deux couches de finition du type de peinture de son choix.

Question : Si on connaît la sorte de peinture qui a été appliquée (à l'huile ou au latex), peut-on en changer ou choisir un autre fini (mat, semi-luisant, luisant, etc.) ? Peut-on mettre une peinture au latex de couleur pâle sur une peinture à l'huile de couleur foncée ou le contraire ?

Réponse : Oui à toutes ces questions, mais il est préférable de sceller la surface en donnant une couche d'apprêt à l'huile, suivie d'une ou deux couches de la sorte de peinture de son choix pour la finition. Si la surface à peindre est lustrée (latex ou alkyde), un léger ponçage doit précéder l'application de la couche d'apprêt à l'alkyde.

À ne pas oublier - Quels que soient les produits employés pour réaliser un projet, leur choix sera dicté par l'utilisation qu'on veut faire des objets sur lesquels on les applique. Par exemple, la peinture décorative des murs d'une boutique doit être plus résistante que la peinture d'un accessoire de vitrine, qui aura une fonction uniquement esthétique et décorative.

LES PEINTURES EN AÉROSOL

Il existe sur le marché un grand choix de peintures en aérosol. Voici quelques indications de base qui serviront à y voir un peu plus clair ainsi qu'à éviter les mauvais achats et les travaux gâchés. Il est très important de bien lire les étiquettes avant de se servir d'un nouveau produit. Si l'on utilise l'aérosol à l'intérieur, il faut que ce soit dans un endroit très ventilé, sinon il faut travailler à l'extérieur. Il est recommandé de porter un masque pour éviter d'inhaler les gaz. Les petits masques de papier vendus dans le commerce protègent très peu. On peut cependant les doubler de mouchoirs en papier humides pour améliorer la filtration. Les masques munis de filtres à charbon, comme ceux qu'utilisent les carrossiers, sont nettement supérieurs. L'endroit idéal pour peindre au fusil à peinture ou à l'aérosol est un atelier de peinture dont la ventilation est conçue pour filtrer les émanations chimiques dommageables pour la santé et pour l'environnement.

L'idéal en fait de peinture en aérosol est celle qui dégage peu d'odeurs, ne fait pas de traînées ni de dégoulinades et sèche presque instantanément; son bec ne bloque jamais, et elle offre une gamme étendue de couleurs. De plus, son débit régulier permet un travail égal. Quand on met la main sur cette merveille et qu'en plus cette peinture est biodégradable et ne fait pas fondre la styromousse, il faut rester fidèle à cette marque éternellement.

Quelques conseils pratiques

➤ Il est préférable de toujours employer la même marque de peinture en aérosol; on peut ainsi réutiliser plus facilement les restes de peinture, en contrôler l'inventaire et faire des superpositions de couleurs sans risque de gâchis. Lorsqu'on utilise plusieurs marques de peinture en aérosol, le désastre le plus courant demeure l'incompatibilité entre deux peintures. La dernière couche de peinture fait alors cloquer, fondre ou décoller la ou les premières couches, et tout le travail est à recommencer.

➤ Attention au semis de gouttelettes ! L'aérosol pulvérise la peinture, qui retombe dans la pièce en traînées de couleur autour de la surface de travail, puis en une bruine fine sur les meubles et dans l'espace ambiant. Il est sage de se souvenir que si on peint à l'intérieur, il est moins long de tout couvrir que de tout nettoyer.

➤ Pour obtenir une surface parfaitement peinte, il vaut mieux donner plusieurs couches très fines qu'une seule couche épaisse, qui aura tendance à faire des dégoulinades ou à donner une couleur inégale en séchant. On doit tenir l'aérosol à la verticale, à environ 30 centimètres de la surface à peindre. La patience est de rigueur : il faut attendre que chaque couche soit bien sèche avant d'en appliquer une autre. C'est le secret de la réussite.

➤ Les contenants de peinture en aérosol de modèles courants sont conçus pour peindre de petits objets. Il est très difficile d'obtenir un fini parfaitement égal sur de grandes surfaces.

➤ Les becs des aérosols bloquent facilement et doivent être nettoyés rapidement après utilisation.

L'utilisation de la peinture au latex en aérosol

La peinture au latex en aérosol donne de bons résultats sur le bois préparé (intérieur ou extérieur), le gypse, le carton Gator et la styromousse. Il est préférable d'appliquer une couche d'apprêt sur les matériaux neufs.

Par contre, cette peinture donne de mauvais résultats sur toutes les matières que l'eau peut abîmer, c'est-à-dire le carton, le papier, le cartomousse et le papier peint non plastifié. Ces matières gondolent et se tordent même si elles sont séchées à plat. Toutefois, il sera possible de les couvrir avec du latex si elles ont reçu une couche protectrice d'apprêt à l'alkyde. On peut aussi obtenir de bons résultats en peignant les matériaux fragiles des deux côtés pour équilibrer la tension du séchage.

La peinture au latex en aérosol s'écaillera sur la plupart des matières plastiques comme le polypropylène ondulé, le styrène, la plasticine, la mélamine et le sonotube ciré, ainsi que sur le métal nu. Le bois nu, peint au latex, deviendra rugueux et requerra un ponçage pour retrouver sa surface lisse. Une couche protectrice d'apprêt à l'huile règle généralement tous ces types de problèmes.

L'utilisation de la peinture en aérosol à base de laque ou de solvant

➤ La peinture en aérosol à base de solvant ou de laque dégage souvent une forte odeur dont les émanations sont considérées très mauvaises pour l'environnement.

➤ Le temps de séchage dépend de la marque de la peinture. Certaines sèchent instantanément, alors que d'autres demandent des heures.

➤ Les taches fraîches se nettoient au solvant ou avec du fixatif pour les cheveux. Séchées, elles seront plus difficiles à faire disparaître.

➤ La peinture en aérosol à base de laque ou de solvant donne de bons résultats sur presque tous les matériaux.

Elle donne de mauvais résultats sur les styromousses et sur certains plastiques. On peut cependant contourner le problème en protégeant la styromousse à l'aide d'une couche de peinture ou d'apprêt au latex. Si l'on désire peindre des plastiques, il vaut mieux faire des tests avant d'entreprendre le travail.

Généralement, une marque inscrite près du bec du contenant indique la façon de tenir celui-ci pour utiliser la peinture au maximum sans qu'il y ait de perte.

LES PEINTURES DE FANTAISIE EN AÉROSOL

(Marbre, granit, effets craquelés, etc.)

Les boutiques spécialisées offrent une variété d'aérosols spécifiquement conçus pour réaliser des effets spéciaux. Ils viennent souvent en assortiment de deux ou de plusieurs produits, dont chacun a une fonction précise dans la production de l'effet choisi. C'est pourquoi il faut bien lire le mode d'emploi avant de s'en servir. Ces peintures sont d'excellents dépanneurs, car elles sont faciles à utiliser et sans problème. Toutefois, les professionnels de la présentation visuelle, dont le métier est de séduire et d'innover, devraient les utiliser le moins possible ou, s'ils s'en servent, le faire d'une façon créative et non conventionnelle.

Un truc pour réaliser rapidement un effet de granit

Fixer au bout du bec de l'aérosol une petite paille qui propulsera la peinture par petite touche. La longueur de la paille déterminera la grosseur de la moucheture.

LES PROBLÈMES DE PEINTURE

Les **plaques** peuvent résulter de l'emploi d'un mauvais apprêt ou d'une superposition de deux peintures incompatibles.

Les **rides** apparaissent lorsque la couche de peinture est trop épaisse ou qu'elle est appliquée sur une surface froide. Elles peuvent aussi se manifester lorsque la peinture sèche trop vite au soleil, ou que la deuxième couche a été appliquée avant que la première n'ait eu le temps de sécher.

Le **manque d'adhérence** de la peinture résulte d'une surface mal préparée, sale ou graisseuse, ou encore du fait que le fini sur lequel on peint soit brillant. Dans ce cas, il faut poncer, nettoyer et appliquer un apprêt.

La **moisissure** doit être enlevée avant de repeindre, sinon les taches grisâtres réapparaîtront. Avant d'appliquer un apprêt à l'alkyde, on doit laver la surface avec un chiffon imbibé d'eau de Javel.

Les **dégoulinades** se forment lorsque la couche de peinture est trop épaisse ou qu'elle est appliquée de façon inégale, ou encore quand la peinture est trop fluide ou qu'elle est étendue sur une surface trop froide.

Un **fini inégal** est souvent causé par une peinture mal brassée.

6.4 LE TRAITEMENT DES SURFACES ET LES FAUX-FINIS

La maîtrise des techniques de faux-finis remonte à l'Antiquité. Les Égyptiens utilisaient toutes les techniques de peinture décorative que nous connaissons aujourd'hui. La dorure, le faux-marbre, le faux-bois n'avaient pas de secrets pour eux, et les effets obtenus étaient similaires à ceux proposés de nos jours.

De très nombreux ouvrages traitent des techniques conventionnelles de peinture décorative. Les recettes classiques proposées pour réaliser les faux-finis nécessitent souvent de nombreuses opérations ponctuées de ponçages. Ces façons de faire donnent d'excellents résultats, mais il faut, au départ, que l'objet à peindre mérite tous ces soins. À moins de le faire par plaisir, le designer de présentation, pressé par le temps et préoccupé par la rentabilité, ne s'attaquera pas à des projets aussi raffinés. Le besoin de rafraîchir rapidement un décor ou de donner du pimpant à une boutique terne poussera le designer à délaisser un peu les techniques classiques et à choisir une approche originale qui s'éloigne du déjà vu.

Réussir un projet de peinture décorative sur un objet ou une petite surface est facile si l'on y met le temps. Cependant, il est préférable de bien y penser avant d'entreprendre un travail de grande envergure. Les coins et les plinthes des murs posent souvent des problèmes et demandent des soins particuliers et de la minutie. Il devient alors difficile de garder la même cadence de travail. Voici donc quelques trucs et des techniques rapides qui ont fait leurs preuves dans le milieu de la présentation visuelle.

Avant d'entreprendre un projet

Avant d'entreprendre un travail, quel qu'il soit, il faut se demander si le fini sera vu de près ou de loin. Plus un fini sera vu de loin, plus il devra être produit à grande échelle. On évitera alors les minuscules moucheteures et les délicats dégradés, car ils se fondront ensemble et ne seront pas visibles à distance. Si le fini doit être vu de près, il exigera une approche classique et une technique raffinée.

Il est important de savoir que la même technique utilisée par plusieurs personnes donnera autant de résultats qu'il y a de personnes. Plus le travail est sophistiqué, plus il est personnalisé. Comme pour l'écriture ou le dessin, certains font attention aux moindres détails; d'autres y vont impulsivement et de façon plus personnelle. Seules l'expérience et la minutie permettent de garder le même rythme durant des jours entiers et d'arriver à ce que le travail du début démontre autant de maîtrise que celui de la fin. La pratique est la clé du succès : c'est elle qui mène à la perfection.

Les techniques de réalisation rapide des faux-finis

Les méthodes de peinture décorative peuvent être dites **négatives**, si on réduit la peinture, ou **positives**, si on en ajoute.

Les outils pour les deux méthodes

Les pinceaux, les éponges, les rouleaux, les peignes, les chiffons, les sacs de plastique constituent la panoplie des outils les plus employés pour réaliser des peintures décoratives. Mais la liste ne s'arrête pas là. Tout objet peut être détourné de sa fonction première et devenir l'instrument rêvé pour réaliser une peinture décorative. Une brosse à cheveux, une fourchette et un couteau de cuisine peuvent être promus au rang d'outils indispensables à l'artiste.

Les imitations

Pour bien réussir une imitation, il faut d'abord et avant tout observer l'objet de près et connaître la matière que l'on veut imiter. La plupart du temps, le travail sur des accessoires de décor consiste en la réalisation d'effets plutôt qu'en une imitation d'un réalisme quasi photographique de matériaux. Pour imiter le marbre, on peut utiliser les teintes de son choix, car le marbre et le granit existent dans toutes les couleurs spectrales. Les marbres de Carrare, le serpentin vert et le marbre jaune de Sienne sont les plus imités. L'imitation d'un minéral doit toujours être exécutée sur une surface très lisse, en respectant le sens oblique de la pierre. Comme pour les autres imitations, on peut utiliser des médiums à l'eau ou à l'huile.

Une façon classique et rapide de faire une imitation de marbre

- Peindre sur une surface lisse une couche de fond de la couleur dominante du marbre qu'on a choisi.
- Laisser sécher.
- Créer des îlots de couleurs en « chiquetant » certains endroits du travail (à l'éponge ou au chiffon) avec de la peinture diluée. Atténuer avec un pinceau à poils doux légèrement mouillé pour éviter les marques. On peut parfois faire cette opération en utilisant de la peinture en aérosol.
- Tracer les veines du marbre en oblique à l'aide d'un pinceau. Estomper légèrement avec une éponge à quelques endroits. Un crayon (Caran d'Ache) soluble à l'eau peut avantageusement remplacer le pinceau fin.
- Vernir si nécessaire.

Le faux-bois ou imitation de bois

La technique du faux-bois s'effectue avec un tampon ou un peigne et elle est si facile qu'après avoir essayé ce procédé, on cherchera à l'utiliser le plus souvent possible. Malgré cette facilité, il faut se dire que plusieurs essences de bois sont d'un prix abordable, et qu'il est probablement inutile de les imiter

Figure 6.12 – Les outils pour faux-finis

quand on peut obtenir les originaux. Cependant, l'imitation de bois précieux mérite qu'on s'y intéresse. La technique est simple : observer le bois à imiter, chercher les couleurs les plus appropriées, peindre le fond, laisser sécher, étendre une couche de la seconde couleur et travailler la couche encore humide à l'aide d'un tampon spécial, vendu dans le commerce. Ces imitations ne demandent qu'un peu de pratique et de dextérité.

▪ LES POCHOIRS

L'utilisation des pochoirs en peinture décorative remonte à l'Antiquité. Plus près de nous, les pionniers américains ont souvent utilisé cette technique héritée de leurs ancêtres européens.

Le pochoir évoque spontanément la répétition d'un même motif le long d'un mur ou d'une surface quelconque. C'est la façon traditionnelle et la plus simple d'utiliser le pochoir, et elle crée effectivement un effet charmant et sans prétention. Cependant, cette technique peut être raffinée et appliquée avec une inventivité insoupçonnée.

On peut réaliser les pochoirs sur une surface peinte ou sur une surface travaillée (lissée, badigeonnée ou marbrée). On peut les peindre de la même couleur que le support, mais avec un fini différent. Par exemple, un mur peint mat peut être agrémenté de pochoirs de la même teinte, mais au fini luisant.

Il existe dans le commerce des pochoirs prêts à être utilisés. Pour fabriquer un pochoir personnalisé, il suffit de dessiner le motif à l'échelle, de l'agrandir ou de le réduire, selon le cas, à l'aide d'un photocopieur. Après avoir obtenu la bonne dimension, on photocopie le pochoir sur un acétate, puis à l'aide d'un X-Acto, on le découpe soigneusement. Il faut prévoir un pochoir par couleur si le travail comporte plusieurs couleurs.

Attention aux motifs trop délicats, qui demandent une extrême minutie ! Le carton n'est pas un bon choix pour appliquer un pochoir : la peinture le détrempera. Si on choisit de répéter le motif, il ne faut pas oublier de mettre des repères pour faciliter l'alignement.

Figure 6.13 – Les pochoirs

LES TRUCS DU MÉTIER

• Utiliser une couche de fond légèrement teintée pour « sauver » une couche de finition.

• Dans les boutiques spécialisées dans la vente de peinture, le personnel reçoit une formation continue des fabricants de peinture, et ces experts sont une source indispensable de renseignements. Il faut toutefois se méfier des vendeurs incompétents, qui ne connaissent pas les vrais besoins du designer de présentation et qui recommandent des produits à tort et à travers.

• Pour conserver les restes de peinture, il est recommandé de les transvaser dans des récipients plus petits et hermétiques pour éviter l'épaississement.

• Ne jamais jeter les restes de peinture à l'égout pour des raisons écologiques évidentes. Les conserver jusqu'au jour de la collecte des déchets dangereux de sa municipalité. Ne pas mélanger l'alkyde et le latex, et laisser les étiquettes sur les contenants pour faciliter le recyclage.

• Si on effectue régulièrement des travaux de peinture, noter le numéro de la couleur ainsi que le type de fini, et conserver un échantillon du matériel utilisé pour faciliter les retouches éventuelles.

• Éviter de faire un travail de peinture important en mélangeant des restes de peinture : si l'on manque de peinture avant la fin du travail ou si des retouches sont nécessaires plus tard, c'est le drame.

• Pourquoi jeter les pinceaux qui ont séché parce qu'ils n'ont pas été bien lavés ? Il arrive qu'en les taillant, ils puissent reprendre du service pour créer des effets spéciaux.

LES SUPPORTS
DE LA PRÉSENTATION

7.1 ACCESSOIRES (PROPS) ET DÉCORS

Les accessoires de présentation, qu'en langage du métier on appelle souvent *props*, sont des objets qui servent à présenter la marchandise, à la mettre en valeur, à attirer l'attention des clients et à faciliter le travail de présentation visuelle. Mis au service des produits, les accessoires doivent capter l'œil par leur forme, leur couleur, leurs dimensions, leur nombre ou par l'effet de surprise qu'ils provoquent. Toutefois, si l'on veut que la présentation livre un message clair, il faut attirer l'attention du client sur la marchandise et non sur son support, si joli soit-il.

Les accessoires peuvent être de plusieurs types : présentoirs, fonds, recouvrements, bustes, mannequins et autres objets servant à mettre en valeur la marchandise. L'architecture, les meubles et la décoration intérieure d'un commerce font souvent office d'accessoires puisqu'ils servent aussi à promouvoir la marchandise et à en faciliter la présentation aux clients. En plus de remplir une fonction pratique, les accessoires créent une ambiance propre à chaque commerce au détail.

La clientèle visée, la philosophie et la vision de l'entreprise et, bien sûr, l'espace et le budget disponibles détermineront la quantité et la qualité des accessoires utilisés pour une présentation visuelle.

Pour promouvoir leur marchandise, les grands magasins ont tendance à s'inspirer de thèmes classiques ou à la mode. Nous connaissons les accessoires classiques de Noël : sapins, boules, lumières, neige, etc.; et ceux du printemps : fleurs, verdure, etc. Parfois, les accessoires exploitent des thématiques moins conventionnelles. Un grand magasin s'inspirera, par exemple, d'un opéra pour produire une présentation dramatique. Souvent, l'exploitation d'un thème de ce genre se fait en collaboration avec des spécialistes du domaine. Un pays peut également servir de point de départ pour concevoir des accessoires et créer une ambiance qui rappellera les particularités et le pittoresque de cet endroit. La France et l'Italie, avec leur multitude de produits et de couleurs, en sont de bons exemples. Ces promotions sont presque toujours faites en collaboration avec des représentants des pays concernés.

Les événements culturels, l'actualité, la politique, les nouvelles tendances en art, le cinéma sont autant de sources d'inspiration. On retiendra que, pour renforcer l'impact d'un thème, il est souhaitable qu'il soit exploité en vitrine et à l'intérieur du magasin, y compris dans l'affichage.

■ Le choix des accessoires

En présentation visuelle, un trop grand réalisme constitue un risque énorme, voire une garantie d'échec. La reproduction parfaite de la réalité exige la présence d'une multitude de détails qui s'accordent mal avec les composantes de la présentation, soit les dimensions de cette dernière, l'éclairage recherché, la pose et l'allure des mannequins (s'il y en a). Tous les éléments de la présentation, de par leur nature, créent un effet théâtral et convergent vers une mise en scène du produit ou de l'article qui éloigne celui-ci du réel. Une présentation en vitrine ou en magasin doit donc être stylisée. Il vaut mieux simplifier au maximum, ne garder qu'un accessoire ou deux qui mettront en valeur l'objet ou le vêtement et le laisseront produire son effet.

Ainsi, est-il nécessaire, pour présenter des maillots de bain dans une petite vitrine, de reproduire une fausse plage avec du sable, d'y planter un parasol sous lequel on disposera des chaises et de représenter la mer sur une toile de fond ? Sûrement pas ! Personne n'y croirait, et les maillots, noyés (c'est le cas de le dire) parmi tous ces objets, ne présenteraient plus aucun intérêt. Au mieux, le passant entrerait pour acheter des chaises. Un ou plusieurs mannequins en interaction sur un fond de couleur vive assortie aux maillots, une chaise de plage et peut-être une serviette suffisent. Quelques accessoires et de la couleur : il n'en faut pas plus pour intéresser les passants.

■ Acheter ou fabriquer ses accessoires ?

LES GRANDS MAGASINS

Les grands magasins et les chaînes de magasins importantes, qui ont plusieurs succursales dans le pays, établissent des stratégies générales de marketing et de présentation visuelle. Une équipe de designers de présentation planifie, pour l'ensemble des magasins, le *look* (on pourrait aussi bien dire l'allure, mais... le jargon du métier !) et les accessoires qu'on utilisera pour les saisons à venir. Ces entreprises de prestige achètent ou font fabriquer en exclusivité leurs décors et leurs accessoires. Le tout est acheminé dans chaque magasin, accompagné de croquis ou de photos qui en suggèrent l'utilisation et l'installation, afin d'uniformiser l'image à l'échelle nationale et internationale. Une fois la saison terminée, les accessoires sont soit entreposés par les magasins, où ils resservent occasionnellement, soit retournés au siège social et conservés en inventaire, ou encore rafraîchis et utilisés autrement. S'il s'agit de décors fragiles, très personnalisés ou de peu de valeur, ils sont détruits.

LES ÉTALAGISTES INDÉPENDANTS

Les étalagistes indépendants, qui travaillent pour de petites chaînes de boutiques et des magasins indépendants, préféreront louer leurs propres décors et accessoires à leurs clients. Une fois la période de location terminée, ils les reprendront et les entreposeront pour éventuellement les louer à d'autres boutiques.

Selon les besoins de leur clientèle et les possibilités de location, les étalagistes indépendants achètent leurs accessoires d'entreprises spécialisées dans la conception et la fabrication d'accessoires. Il s'agit souvent de produits non exclusifs mais restreints en nombre. Pour s'assurer d'un maximum de rentabilité, ils utilisent, tout comme les grands magasins, des antiquités et des objets courants qu'ils adaptent à leurs besoins. Certains embauchent des décorateurs capables de fabriquer des accessoires ou de les transformer.

LES BOUTIQUES INDÉPENDANTES

Quelques boutiques achètent leurs propres accessoires et les réutilisent année après année. Elles doivent alors, comme les grands magasins et les étalagistes indépendants, prévoir des espaces d'entreposage, une solution peu économique.

■ LA PLANIFICATION DES ACHATS D'ACCESSOIRES

Plusieurs expositions regroupant des centaines de fabricants d'accessoires et de grossistes se tiennent chaque année au Canada, aux États-Unis et en Europe. Pour le designer de présentation, se rendre à ces expositions est une façon agréable de découvrir les nouvelles tendances du marché et de s'approvisionner là où le choix est presque illimité. Quel que soit l'endroit où l'on habite, les exposants peuvent assurer une livraison rapide et efficace. On peut aussi les joindre par le réseau Internet.

Dans les villes, on trouve également des importateurs, des fabricants ou des grossistes locaux, chez qui il est possible de s'approvisionner. Les grossistes en fleurs, feuillages de soie, vases, paniers, rubans, etc. – pour la plupart des articles importés –, visent aussi le marché des fleuristes; d'autres commerçants se spécialisent dans les accessoires et les matériaux de base utilisés en présentation visuelle. Enfin, il existe tout un réseau de concepteurs et de fabricants qui répondent aux besoins spécifiques du cinéma, de la télévision, de la publicité et de la présentation visuelle.

La première chose à faire avant d'acheter des accessoires de présentation visuelle consiste à planifier ses achats sur papier en tenant compte :
- du thème qu'on souhaite présenter;
- de l'espace disponible;
- des tendances de la mode;
- des possibilités de réutilisation des accessoires;
- du coût des accessoires par rapport à son budget.

Un autre point à considérer est le choix d'acheter un accessoire authentique ou son imitation. Vaut-il mieux se procurer une fausse fenêtre en carton ou en bois, ou une vraie fenêtre ? Tous les choix sont bons et dépendent de l'utilisation qui sera faite de l'accessoire.

Si l'on envisage la possibilité de fabriquer soi-même un accessoire, il est primordial de calculer, en plus des matériaux et du temps de fabrication requis, les risques d'échec si ses habiletés et son outillage sont limités. Il est souvent inutile de fabriquer un objet qui existe déjà et qu'on pourrait facilement acheter et transformer.

■ Les objets courants

En présentation visuelle, l'utilisation d'objets de la vie quotidienne constitue souvent une solution intéressante et peu coûteuse. Qu'il s'agisse de meubles, d'outils ou d'autres objets, les accessoires doivent compléter les produits à vendre et non se substituer à eux. Les paniers de toutes sortes et de toutes dimensions peuvent être utilisés comme support de la marchandise. Les chaises, les commodes, les échelles sont aussi des articles que l'on exploite souvent en vitrine.

Ainsi, pour une présentation de vêtements d'automne, on peut utiliser des mannequins qui, râteaux à la main, ramassent des feuilles mortes. Voilà une présentation d'une grande simplicité, peu dispendieuse et qui met en valeur les vêtements à vendre.

Également, le fait de répéter un même petit objet familier dans un grand espace a souvent autant d'impact qu'un accessoire géant. Un minuscule flacon dans une grande vitrine n'a aucun impact. Des douzaines de minuscules flacons identiques présentés de façon originale et bien éclairés se révèlent soudainement très intéressants.

■ Les antiquités et les objets d'art

Antiquités de grande valeur, brocantes ou reproductions, les objets anciens, quels qu'ils soient, confèrent un charme certain à une présentation. Les gens aiment s'arrêter pour rêver devant des objets du « bon vieux temps ». Bien agencées, les antiquités donnent de la classe à une présentation et lui confèrent une empreinte de luxe et de richesse, même s'il s'agit d'objets usuels, sans grande valeur à leur époque.

Des valises, des trophées, des articles de sport, des livres, des machines à écrire et même des pièces de voitures d'époque peuvent servir de départ à la composition d'une présentation visuelle. Des boîtes de métal un peu rouillées, quelques outils et un vieux fanal, il n'en faut pas plus pour créer une ambiance !

Il faut toutefois prendre garde d'abuser des antiquités au point de créer un décor poussiéreux, fait de vieilleries incapables de susciter la moindre nostalgie et pas très invitant. Le dosage des accessoires anciens et des produits à vendre reste subtil, et il y a des limites à ne pas dépasser.

■ LES AUTOMATES

Très populaires au temps de Noël, les automates exercent un attrait irrésistible sur les passants. Ils réjouissent les enfants comme les adultes et demeurent une source inépuisable d'étonnement. On n'a qu'à penser à la fameuse vitrine de chez Ogilvy's qui, année après année au temps des fêtes, voit des milliers de passants venir s'y coller le nez et se perdre dans l'observation fascinée de tout un petit peuple en mouvement, qui créerait probablement une révolution s'il devait disparaître. On remarque d'ailleurs un engouement grandissant pour le phénomène puisque la presse, aussi bien écrite que radiophonique et télévisuelle, donne depuis quelques années le circuit des commerces qui présentent des automates dans leur vitrine.

Les automates s'achètent dans certaines boutiques spécialisées. Ils sont conçus sur demande et en petite série par des techniciens qui doivent garantir leur fonctionnement pour de longues périodes. Malgré cela, les défectuosités et les bris sont fréquents, et l'entretien des automates peut coûter très cher.

■ LES ACCESSOIRES 2D (BIDIMENSIONNELS)

Bannières, affiches, photos et images de toutes sortes peuvent servir d'accessoires pour une présentation visuelle. Il ne faut cependant pas les utiliser comme seul accessoire en vitrine, car ce sont alors de piètres vendeurs.

Les images 2D sont souvent produites par des agences publicitaires pour promouvoir un produit. L'impact d'une affiche dépendra de l'originalité de son concept, de son emplacement stratégique et du nombre d'affiches utilisées. Une vitrine aménagée avec des accessoires 2D sera perçue très différemment de celle qui l'est avec des accessoires 3D (tridimensionnels). Une présentation en 2D dans une vitrine peut donner l'impression d'être provisoire et d'avoir été conçue à peu de frais, même si les affiches ou les photos sont intéressantes et produisent un effet publicitaire certain. Les étalagistes indépendants qui utilisent ce type d'accessoires font souvent face aux commentaires acerbes des propriétaires de boutique, qui se sentent lésés, croyant ne pas en avoir pour leur argent.

Cependant, la combinaison d'accessoires 2D et 3D peut donner des résultats intéressants.

7.2 LES FONDS

Les fonds sont des murs qui délimitent l'espace vitrine d'un commerce, ou encore des panneaux qui isolent une présentation afin de la mettre en valeur. Les fonds constitués de vrais ou de faux murs sont également employés pour des présentations à l'intérieur des magasins.

La vitrine fermée est devenue un luxe que seuls les grands magasins peuvent s'offrir. Avec son espace propre et son éclairage indépendant, ce type de vitrine permet plus de possibilités et des aménagements plus élaborés.

Dans les boutiques de plus petites dimensions, l'espace vitrine est intégré à la boutique, et les présentations ont rarement un mur de fond.

■ L'UTILITÉ DES FONDS

Un panneau de fond bien choisi mettra en valeur la marchandise. Parfois, il suffit d'une cantonnière ou de quelques panneaux pour modifier la structure et le volume d'un espace.

■ LES FONDS PEINTS

Les magasins qui possèdent des vitrines fermées repeignent les murs au gré des modes et des saisons. C'est la façon la plus rapide et la plus économique de transformer un décor. Une peinture décorative améliore aussi l'espace ambiant.

■ LES PANNEAUX RECOUVERTS

Les murs des zones de présentation peuvent être ornés de panneaux amovibles que l'on enveloppe de tissu ou de vinyle. Ces panneaux sont taillés dans de l'homasote, un matériau qui servait jadis à faire sécher les peaux de fourrure. Quoiqu'un peu lourd, ce matériau fait l'unanimité, car il allie solidité et porosité, à un coût très bas. On peut donc agrafer du tissu sur l'homasote beaucoup plus facilement que sur un panneau d'aggloméré. Si la vitrine est exposée à l'humidité, il est préférable de monter l'homasote sur un cadre de bois pour éviter le déferrage des pièces. Faute d'homasote, un panneau de cartomousse (*foamcore*) peut faire l'affaire, même s'il est moins résistant.

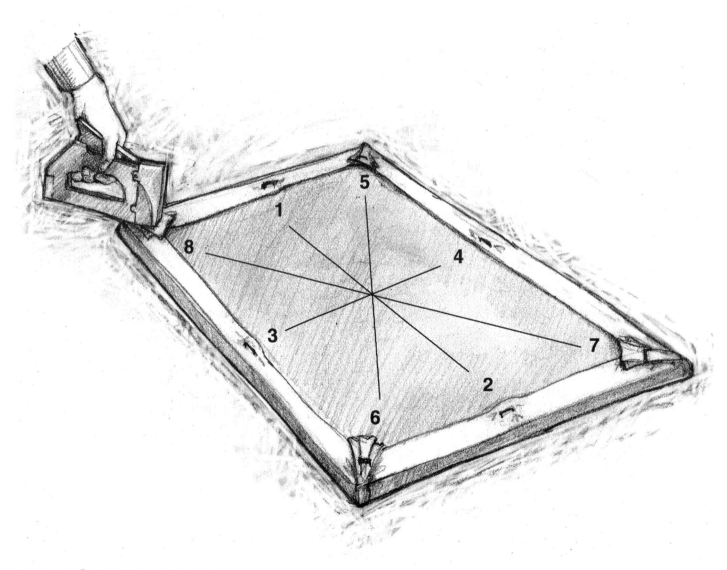

Figure 7.1 – Comment recouvrir un panneau

LE RECOUVREMENT D'UN PANNEAU (figure 7.1)

Si l'on se sert de tissu, il faut en choisir un qui contienne un pourcentage important de fibres synthétiques. En effet, si la vitrine est quelque peu exposée au soleil, la couleur des fibres naturelles s'altérera rapidement. Certains types d'éclairage peuvent également modifier les couleurs.

Lorsqu'on doit gainer de grands panneaux, il est préférable de le faire à deux. Tout d'abord, il s'agit d'étendre le tissu sur une surface bien lisse, puis de glisser le panneau sur le tissu. Ensuite, on doit :

- s'assurer d'avoir un retour de tissu suffisant pour qu'il puisse être solidement fixé;
- agrafer en premier le bord du tissu, puis fixer le côté opposé en tendant bien le tissu pour éviter les faux plis;
- fixer les deux autres côtés (en croix);
- vérifier si le droit fil du tissu est respecté (s'il y a un motif, le garder bien droit);
- continuer à agrafer le tissu en s'assurant que les coins sont très bien faits, que le tissu est bien tendu et qu'il n'y a aucun faux pli.

Si l'on travaille avec du vinyle plutôt qu'avec du tissu il faudra être encore plus attentif pour ne pas faire de faux plis. Idéalement, on doit chauffer le vinyle avec un séchoir à cheveux pour l'assouplir et pour mieux le tendre.

LES PARAVENTS ET LES FONDS PARTIELS

Les paravents et les fonds partiels sont utilisés afin de créer une séparation physique et psychologique entre deux espaces. Opaques ou transparents, permanents ou amovibles, ils opèrent des démarcations à l'intérieur d'une présentation sans créer d'effet massif. Ils sont utilisés autant à l'intérieur des commerces que pour isoler l'espace vitrine. Ces accessoires ont l'avantage d'être mobiles, transportables et réutilisables.

7.3 LES TECHNIQUES DE PRÉSENTATION DES VÊTEMENTS

■ LES MANNEQUINS

On dit du mannequin de vitrine qu'il est un vendeur silencieux. Toujours d'humeur égale, il ne se lasse jamais d'exhiber les vêtements sous leur meilleur jour. Le mannequin féminin projette une image de femme racée, élégante et mince, à laquelle toute cliente se plaît à s'identifier. Il est facile de s'imaginer portant des vêtements et des accessoires présentés d'aussi séduisante façon.

Mais peu importe le sexe qu'il représente, peu importe qu'il soit une réplique de l'adulte ou de l'enfant, le mannequin personnifie la mode, en est un des représentants majeurs, et tous les gens du métier s'accorderont pour dire qu'il vaut mieux ne pas utiliser de mannequins plutôt que d'utiliser des mannequins démodés.

Figure 7.2 – Buste en osier vers 1797

Figure 7.3 – Buste en fil de fer

L'HISTORIQUE DU MANNEQUIN

Le mannequin dans les civilisations anciennes

Il existe peu d'études sur la présentation des vêtements en vitrine et moins encore sur l'utilisation de mannequins dans les civilisations anciennes. Cependant, des documents très anciens révèlent l'existence d'étalages, et les archéologues ont même trouvé des vestiges qui attestent la pratique de la vente au détail dans l'Antiquité. En effet, des fouilles effectuées à Pompéi et à Herculanum ont révélé que ce genre d'activité commerciale existait il y a 2000 ans; en outre, des pièces de ce qui fut très certainement un mannequin ont été découvertes à Herculanum.

Le mannequin aux XVIIIe et XIXe siècles

Plus près de nous, des almanachs datant de la fin du XVIIIe siècle font mention de têtes fabriquées en carton, utilisées par les modistes de chapeaux. Le premier mannequin de mode servant à draper des vêtements est fabriqué à Paris en 1750. Sans tête et constitué d'un torse d'osier aux formes vaguement féminines, il est confectionné par des vanniers à la demande des couturiers de l'époque (figure 7.2).

Au même moment, des ferblantiers ont l'idée de relier des fils de fer et d'en faire des mannequins (figure 7.3).

Par la suite, on décide de rembourrer les bustes faits de fil de fer ou d'osier avec du crin et de l'étoupe, et de les entoiler à la manière des jouets d'enfants. La tête est souvent suggérée par un champignon de bois ouvragé (figure 7.4).

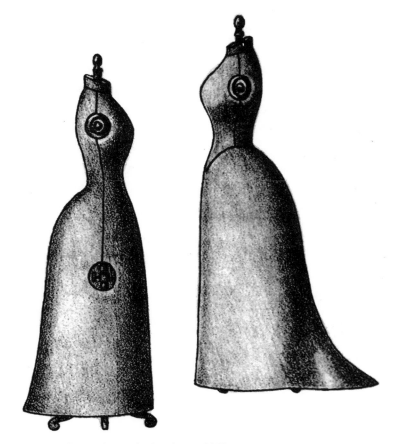

Figure 7.4 – Bustes de crin de cheval, vers 1860

La production de mannequins commence au milieu du XIXᵉ siècle avec le début de la révolution industrielle. Un certain Lavigne, professeur de coupe, met au point un « buste-mannequin » perfectionné, qu'il fait breveter, et obtient une médaille à l'Exposition du commerce et de l'industrie de 1849 pour son invention. Le prototype, fait de cuir monté sur une base de bois et toujours sans tête, ressemble plus à un buste de couturière qu'à un mannequin de présentation. Autour de 1870, un jeune artiste belge, du nom de Fred Stockman, directeur des Établissements Stockman Frères, bustes et mannequins, a l'idée de fabriquer une forme humaine avec des bras, des jambes et une tête. Les fabricants de l'époque sont obsédés par l'idée de la réplique parfaite du corps humain. Les mannequins sont tour à tour fabriqués en carton, en cire et en papier mâché. Les fabricants essaient tant bien que mal de créer des mannequins qui correspondent aux canons de la beauté de leur époque.

À la fin du XIXᵉ siècle, on produit toutes sortes de mannequins de fabrication artisanale. Le mannequin de vitrine, accessoire jugé sans importance à l'époque, ne fait l'objet d'aucun document d'archives, et aucun ouvrage connu ne traite spécifiquement de son évolution.

Le mannequin au XXᵉ siècle

Lors de l'Exposition universelle de 1900, un Hollandais, Pierre Imans, présente officiellement un buste de cire dit « anatomique », ayant toutes les caractéristiques féminines. C'est un succès. Grâce à un mécanisme invisible, le mannequin remue la tête, ouvre et ferme les yeux, s'évente et fait le geste de se poudrer. À noter : la finesse de la peau et l'amélioration des traits des mannequins de Pierre Imans.

Par la suite, on fabrique des mannequins de cire dotés de cheveux humains (figure 7.5). Les clients de l'époque sont très impressionnés par ces personnages qui nous semblent aujourd'hui blafards et inexpressifs. Cependant, les lumières des vitrines et le soleil font fondre les mannequins, ce qui en complique l'utilisation.

Au début du XXᵉ siècle, la production de mannequins s'organise à Bruxelles, à Rome, à Berlin, à Londres et surtout à Paris, une ville qui regroupe trois cents artisans : ouvriers et ouvrières, sculpteurs sur bois, ébénistes, vernisseurs, peintres et couturiers. La Première Guerre mondiale est l'occasion d'une libéralisation du vêtement et de la démocratisation de la mode. Durant les années 1920, le besoin d'une plus grande diffusion et la multiplicité des marchandises offertes donnent un essor considérable au commerce de détail. Les marchands de l'époque inaugurent les débuts de la consommation dite de masse. Concurrence, mise en marché, service à la clientèle et présentation de la marchandise se révèlent des indicatifs

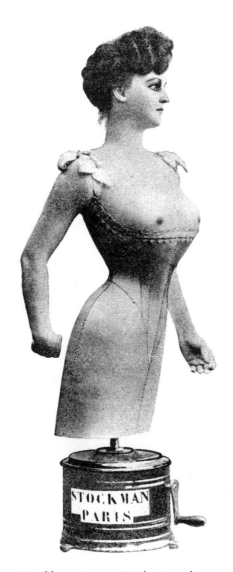

Figure 7.5 – Mannequin avec tête de cire et cheveux naturels sur une base tournante. Manufacturier : Stockman, Paris, vers 1903

de base pour exploiter un commerce de détail rentable. L'apparition de nouveaux matériaux hâte l'évolution du mannequin de vitrine. Les manufacturiers tentent alors d'utiliser le plâtre, qui se révélera trop lourd et trop fragile, puis un mélange de plâtre et de gélatine appelé « composition » ou « *carrisine* ». La solidité du nouveau matériau permet l'expérimentation de postures de plus en plus réalistes et la fabrication de personnages à l'aspect plus sain. Cette innovation accélère la vogue du mannequin de vitrine chez les commerçants (figures 7.6 a et b de même que la figure 7.7).

Après la Seconde Guerre mondiale, l'abondance et la multiplicité des produits conduisent à l'ouverture de nombreuses boutiques et de magasins. L'administrateur des Galeries Lafayette fait dorénavant sculpter ses mannequins non pas d'après des modèles vivants, mais d'après les dessins d'artistes en vogue. La concurrence et les moyens techniques de plus en plus sophistiqués font évoluer la présentation visuelle très rapidement. L'apparition de la fibre de verre et des matières plastiques permet enfin la création de mannequins « plus vrais que vrais », qui projettent une image de santé et d'élégance jamais encore atteinte.

Figures 7.6 a et 7.6 b – Mannequins fabriqués par la Maison Siégel pour le magazine *Vogue*, 1927

Figure 7.7 – Vitrine Art déco 1925, robe de Jeanne Lanvin

La mode de chaque décennie a marqué la fabrication des mannequins. On se souvient des vêtements à larges épaules et d'allure militaire des années 1940 (figure 7.9), de la minceur légendaire de la *top model* Twiggy (figure 7.13) dans les années 1960, des canons de la beauté des années 1970 et 1980 représentés par le modèle Hindsgaul (figure 7.15) et, enfin, de l'allure très sportive et élancée caractéristique des années 1990.

▪ LES TYPES DE MANNEQUINS

Il existe plusieurs types de mannequins servant à des usages et à des besoins particuliers. Voici les catégories les plus courantes sur le marché :

- le mannequin réaliste;
- le mannequin semi-réaliste;
- le mannequin abstrait;
- le mannequin de type « sculpture molle » (caoutchouc mousse sur fil de fer);
- le mannequin 2D (abstrait ou réaliste).

Figure 7.8 – L'allure des années 1940

Figure 7.9 – Une vitrine en 1940

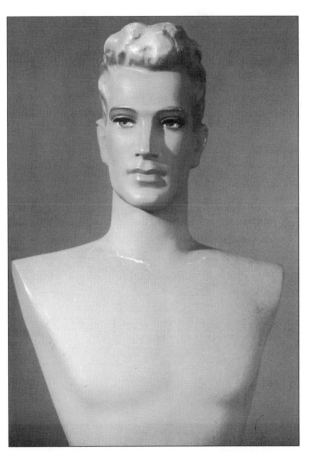

Figure 7.10 – Tête masculine, dans les années 1950,
inspirée de l'acteur Jean Marais

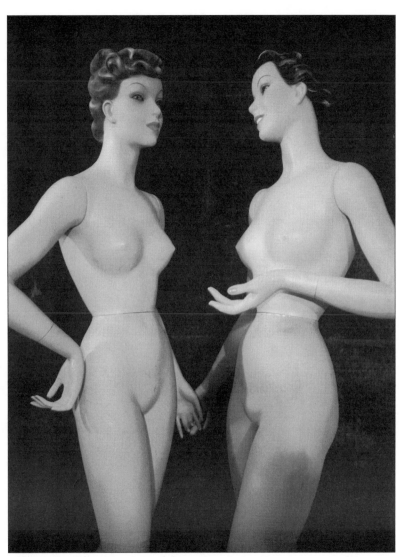

Figure 7.11 – Mannequins féminins, 1950

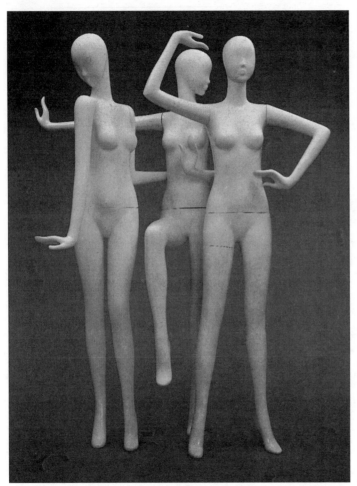

Figure 7.12 – Création Siégel, mannequins non figuratifs, vers 1965

Figure 7.13 – 1966 : Twiggy (la « brindille »), mannequin célèbre pour sa minceur, d'où son nom

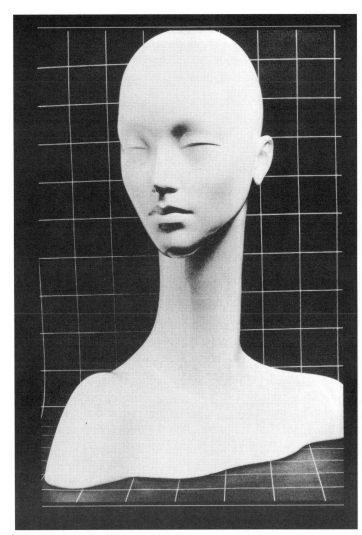

Figure 7.14 – Buste Gemini, 1970

Figure 7.15 – 1970, Modèle Hindsgaul

LE MANNEQUIN RÉALISTE

Le mannequin réaliste est celui qui offre le plus l'apparence humaine. Et pour cause : la plupart du temps, il a été moulé sur un modèle vivant, au point où l'on peut dire que le mannequin de bonne qualité semble « plus vrai que vrai ».

Figure 7.16 – Le mannequin réaliste

Jusqu'à présent, les modèles choisis pour servir de moule aux mannequins de vitrine sont toujours des femmes stylées, grandes, belles et jeunes. Bien sûr, présenter les vêtements sur des corps parfaits est loin de correspondre à la réalité, l'immense majorité des consommatrices n'étant pas aussi gâtées par la nature. Il n'en reste pas moins que le meilleur présentoir pour le vêtement est encore et toujours le corps humain.

Le mannequin réaliste (tout comme les modèles abstraits ou semi-réalistes) fabriqué en fibre de verre est très solide, mais il demande quand même le plus grand soin. Un mannequin endommagé par une cicatrice sur le nez ou à qui il manque un doigt perd beaucoup de son potentiel de séduction. La tête et les mains du mannequin sont particulièrement vulnérables; les mains surtout, qui sont fabriquées d'une matière plastique différente du reste du corps, demeurent sa partie la plus fragile. Les pieds du mannequin s'ajustent aux types de chaussures qu'on souhaite lui faire porter : talons hauts, souliers plats, chaussures sport, etc.

Une surprise pour le néophyte : le mannequin réaliste n'est jamais articulé. Il est donc impossible de le faire changer de position, de lui plier un bras, une jambe ou de le faire asseoir. On ne peut pas non plus changer sa tête. De toute façon, le moulage de la musculature est tellement précis qu'un changement de position ou de tête altérerait l'allure entière du mannequin.

Les positions variées du mannequin réaliste
Le mannequin en position debout offre une présentation classique et met bien en évidence les vêtements. Cette valeur sûre que représente le mannequin debout est souvent le choix des boutiques qui possèdent peu de mannequins. Mais attention aux vêtements qu'on lui fait porter : on pourra difficilement enfiler un pantalon de petite taille à un modèle aux jambes très écartées; une jupe droite aura l'air d'une mini-jupe sur un tel mannequin.

Il faut également se méfier des bras repliés du mannequin, qui rendent certains types de manteaux difficiles à passer, et des bras qui s'attachent difficilement au corps.

La plupart des modèles livrés par les manufacturiers sont munis d'une base de verre et d'une tige de métal qui leur servent de support. Il existe deux modèles de tiges de métal : une longue tige qui s'insère dans la cuisse, ou une plus courte qui se glisse dans un orifice pratiqué sous le pied. Dans ce dernier cas, les chaussures doivent être adaptées, c'est-à-dire percées, ou bien on doit laisser le mannequin pieds nus. Certains modèles n'ont ni base ni support et ils ont besoin d'un appui extérieur comme un podium, une clôture, un meuble ou un mur. Pour rendre le mannequin autoportant, on peut également le fixer avec deux fils qui partent de la taille et vont au plancher. Cette fixation, plus discrète que la base de verre, est beaucoup plus élégante.

Facile à intégrer à l'intérieur des boutiques, **le mannequin en position assise** est très pratique pour des vitrines basses. Installé sur un podium et bien en vue, il ne nécessite pas de support et demande peu d'espace en hauteur. Il est idéal en interaction avec d'autres mannequins masculins ou féminins. Pour assurer leur stabilité, certains modèles doivent avoir les pieds appuyés au sol; d'autres ont besoin d'un siège d'une hauteur indiquée par le fabricant, à défaut de quoi ils risquent le déséquilibre. Les jambes distantes l'une de l'autre sont tout à fait appropriées pour les pantalons et les jupes amples.

Le mannequin en position couchée est souvent utilisé pour présenter de la lingerie. Il est idéal pour des présentations en hauteur. Lorsqu'il fait partie d'un groupe, ce type de mannequin ajoute une ligne horizontale intéressante à la composition.

Le mannequin en action, c'est-à-dire celui qui est représenté en train de courir, de plonger, etc., convient bien à la présentation des vêtements sport. Ses pieds sont fabriqués spécialement pour porter des chaussures sport. Cependant, certaines positions ne mettent pas le vêtement en évidence et prennent beaucoup d'espace dans la vitrine; elles sont néanmoins très intéressantes visuellement. Les maillots de bain et les bikinis peuvent être présentés sur ce type de mannequins, mais il est malheureusement impossible de dissimuler les joints qui servent d'articulations aux membres.

La peau et le maquillage du mannequin réaliste

Le mannequin est un outil de la mode, et celle-ci, on le sait, évolue très rapidement. Un maquillage parfaitement adéquat cette année risque d'être complètement démodé l'an prochain. La couleur de la peau d'un mannequin réaliste peut être modifiée (pâlie, bronzée, etc). Il suffit de la faire sabler et repeindre, puis maquiller au goût du jour. L'utilisateur peut également choisir la couleur des yeux, qui sont peints. Il y a eu une époque, dans les années 1960 où les yeux de verre pour les mannequins étaient en vogue.

En règle générale, si l'on veut suivre les tendances de la mode, le maquillage doit être actualisé tous les deux ou trois ans et il doit correspondre aux goûts de la clientèle ciblée par la boutique. Une boutique de vêtements classiques ne fera pas maquiller ses mannequins de la même façon qu'une boutique s'adressant à des adolescentes.

Le mannequin à repeindre doit nécessairement être confié à des professionnels, sauf s'il est « en fin de carrière » et que l'on veuille risquer une expérimentation. Bien sûr, on ne doit jamais utiliser de produits destinés au maquillage humain ni colorer les lèvres avec du vernis à ongles sous peine de se retrouver avec un mannequin grotesque ou ridicule.

La plupart des mannequins sont lavables à l'eau claire et tiède. Les détergents forts peuvent abîmer le maquillage et le fini satiné de la peau. Il est important de toujours suivre les directives du fabricant ou du maquilleur professionnel pour le nettoyage.

On peut faire percer les oreilles des mannequins. Souvent, les boucles d'oreilles conventionnelles tiennent mal; si, malgré tout, on veut utiliser cet accessoire, il suffit de solidifier les boucles avec un double *pacefoam* ou avec de la gommette bleue, que l'on applique derrière le lobe de l'oreille.

Une nuance plus foncée que la peau et qui crée une ombre légère rappellera la pousse de la barbe sur le visage des mannequins masculins. Ce même type d'ombre vient parfois souligner le relief de la musculature des mannequins mâles qui présentent des vêtements sport, comme les maillots de bain.

En résumé, on peut utiliser un mannequin pendant de nombreuses années si on le manipule délicatement et si l'on prend soin d'en faire rafraîchir le maquillage régulièrement.

Les perruques du mannequin réaliste

Les perruques doivent être épinglées sur la tête du mannequin, aux points tendres prévus à cet effet par le fabricant, plutôt que collées, car la colle abîme la peinture de la tête. Les perruques doivent convenir au mannequin : un front trop large ou trop étroit est inesthétique.

Il existe deux sortes de perruques : les dures et les molles. Les perruques dures, qui sont laquées et impossibles à coiffer, sont de moins en moins utilisées; elles demeurent cependant les seules à créer un réel effet de cheveux laqués. Les perruques molles, qui reproduisent les cheveux humains, se coiffent avec une brosse de plastique, qui permet de démêler les cheveux raides avant d'effectuer une nouvelle mise en plis. Le brossage des perruques molles à cheveux frisés est une opération plus délicate : le « boucle par boucle » est recommandé. Tout comme les vrais cheveux, on peut laver les perruques molles à l'eau savonneuse, les sécher au séchoir (à chaleur faible) et faire des mises en plis avec un fixatif. Certains étalagistes coiffent les perruques directement sur la tête du mannequin. L'avantage de cette technique consiste à vérifier immédiatement l'allure de la tête, à modifier la coiffure au besoin et à éviter le transport et l'installation d'une perruque déjà coiffée. Une autre technique de coiffage préconise la mise en plis en atelier sur une tête stable, dans des conditions plus propices. C'est aussi la meilleure façon de procéder pour effectuer une coiffure compliquée ou pour rafraîchir une coupe.

Si, pendant le montage d'une vitrine avec des mannequins, on veut se servir de fixatif à cheveux, il est très important de protéger le visage du mannequin. Le fixatif (comme le vernis) rend la peau luisante, dilue le maquillage et fixe la poussière qui pourrait se trouver sur la figure et les membres. Un vaporisateur à eau plutôt qu'un atomiseur peut aussi bien faire l'affaire. Il faut porter une attention particulière aux perruques masculines. Leur coupe est parfois bizarre : certaines ne font pas très masculin; d'autres vieillissent ou sont carrément ridicules.

La taille des mannequins réalistes

La plupart des mannequins réalistes féminins présentés en vitrine sont de format régulier (*miss*). Un vêtement de taille 5 ou 7 les habille parfaitement, sans épinglage ni bourrage. Il existe toute une variété de tailles : grand (*plus*), adolescent ou adolescente (*teen*), préadolescent ou préadolescente (*preteen*) et enfant de tout âge.

➤ Mensurations des mannequins féminins réguliers :
  • Taille des vêtements : 5/7
  • Taille debout : 5' 10" (1 m 78)
  • Poitrine-taille-hanches : 34" - 24" - 34"
        (86 cm - 61 cm - 86 cm)

➤ Mensurations des mannequins masculins réguliers :
- Pointure des chaussures : 10
- Taille des vêtements : 40
- Taille debout : 6′ (1 m 83)

- Poitrine : 39″ (96 cm)
- Taille : 32″
- Encolure : 15 1/2″ (39 cm)

Ces mesures peuvent varier légèrement d'un fabricant à l'autre.

Après un temps d'absence, le mannequin réaliste mais sans tête fait un retour sur le marché. Doté d'un corps réaliste ou semi-réaliste, il joue le rôle de présentoir, mais sans les contraintes du maquillage et des perruques puisqu'il est dépourvu de tête.

Sa personnalité effacée laisse toute la place aux vêtements, et il se révèle un outil extraordinaire dans les vitrines ou les endroits de présentation qui manquent de hauteur. Plus souple d'utilisation que le buste de couturière, il peut tout porter, de la lingerie à la robe du soir en passant par le manteau sport. Sa coloration peut varier selon les besoins.

LE MANNEQUIN SEMI-RÉALISTE

Le mannequin semi-réaliste possède les mêmes mensurations que le mannequin réaliste. Même s'il n'est pas, comme le mannequin réaliste, la reproduction exacte de l'humain, il porte comme lui des vêtements et se manipule de la même façon.

Son allure est stylisée et sa peau est généralement d'une seule couleur qui se décline en blanc, noir, gris, doré, etc. Avec le mannequin semi-réaliste, on évite les problèmes de perruques et on obtient le *look* désiré sur demande.

LE MANNEQUIN ABSTRAIT

Le mannequin abstrait (figure 7.17) joue souvent le rôle de sculpture dans une vitrine. Il a une fonction plus décorative qu'utilitaire. Dans la plupart des cas, il est très mince, très stylisé, avec des membres disproportionnés, ce qui fait qu'aucun vêtement ne lui convient parfaitement. Ce type de mannequin circule depuis plusieurs années, et on lui donne encore l'appellation de « moderne » ou de « nouveau ». Il porte mal la perruque, et sa tête est souvent chauve. Quelques rares modèles ont des cheveux sculptés. Les chaussures sont moulées aux pieds.

On utilise souvent le mannequin abstrait pour y draper des tissus qu'on veut exhiber ou comme accessoire de vitrine. On peut le peindre sans problème ou lui donner une texture, selon le besoin de l'utilisateur. C'est le présentoir idéal pour des prototypes de vêtements du futur.

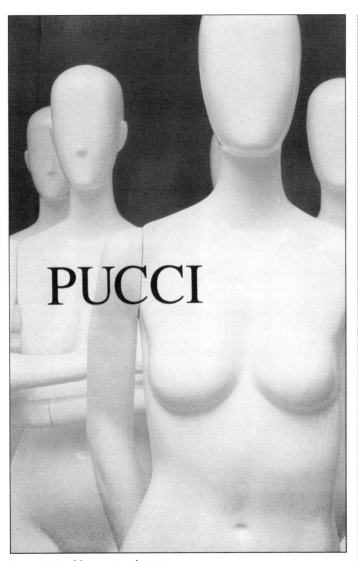

Figure 7.17 – Mannequins abstraits

LE MANNEQUIN DE TYPE « SCULPTURE MOLLE »

Les sculptures molles (figure 7.18) sont fabriquées en caoutchouc mousse recouvert de tricot de velours (souvent noir ou couleur chair). Elles ressemblent à de grosses poupées à figure abstraite. Offertes en version masculine ou féminine, dans les tailles adulte ou enfant, elles conviennent parfaitement à la présentation des vêtements sport, comme les parkas, les anoraks, les combinaisons de ski, les ensembles de hockey, etc. On peut leur faire prendre facilement des poses grâce au fil de fer à l'intérieur des membres. Au besoin, on peut épingler les vêtements directement sur le mannequin. Leur prix très abordable les a rendus très populaires.

Cependant, les sculptures molles ne se prêtent pas à tous les types de présentation. Certains vêtements ajustés sont difficiles à enfiler, et les vêtements habillés, particulièrement les vêtements féminins, n'y sont aucunement mis en valeur. Il va sans dire qu'une perruque réaliste est ridicule sur leur tête. La version enfant, dotée d'une figure peinte sur un tricot de couleur chair, est offerte avec des cheveux de laine coordonnés au style. La grande flexibilité des sculptures molles permet de leur faire reproduire toutes les acrobaties enfantines. Elles sont une façon amusante et très dynamique de présenter des vêtements pour enfants.

Figure 7.18 – Mannequins de type « sculpture molle »

LE MANNEQUIN 2D

Le mannequin 2D (*cut out*) ou en à-plat (figure 7.19) constitue pour le designer un outil pratique et fonctionnel. Peu coûteux, il se prête à toutes les fantaisies et se range facilement. Les designers de présentation sont souvent inspirés par la facilité de fabrication de ce mannequin. Certains modèles artisanaux, très bien conçus, ajoutent une touche d'originalité à une présentation.

Fabriqués en bois, en carton ou en plastique moulé, les bras et les jambes du mannequin 2D s'enlèvent pour mieux faire glisser les vêtements. Certains modèles sont articulés comme des pantins; d'autres sont statiques. Il existe des modèles munis d'une base; d'autres doivent être suspendus. Même s'il respecte les proportions humaines, ce type de mannequin ne s'adapte pas à la présentation de tous les styles de vêtements. Les formes 2D laissent les vêtements sans forme et ne mettent pas leur coupe en valeur. Pour assurer un minimum d'élégance il est presque toujours nécessaire de tricher et de rembourrer les vêtements.

Figure 7.19 – Mannequins 2D

■ L'INSTALLATION D'UN MANNEQUIN

L'installation d'un mannequin est un jeu d'enfant si l'on sait de quel type sont les attaches utilisées par le fabricant.

PREMIÈRE ÉTAPE

Quel que soit le type de mannequin (homme, femme, assis, debout), ce sont avant tout ses jambes que l'on doit habiller. Pour lui faire porter un collant ou un pantalon, il faut, dans la plupart des cas, détacher une des jambes du corps pour faciliter l'habillage. Glisser les jambes dans un pantalon ou un collant est une opération simple, mais réinsérer la jambe dans son attache sans briser la fermeture éclair du pantalon ou sans fendre le collant demande un peu plus de dextérité. En cas de problème, il est suggéré de prendre un pantalon d'une taille au-dessus pour faciliter l'enfilage. Quant aux collants, on les enfile simplement par une petite tricherie qui consiste à les couper ou bien on utilise des bas courts.

Les mannequins féminins ont les pieds formés pour porter des chaussures à talons ou des souliers plats. Il n'est pas rare de voir en vitrine des mannequins richement habillés, mais sans chaussures, ce qui donne à l'ensemble une allure bâclée.

Les bottes et les chaussures fermées sont généralement difficiles à enfiler, les pieds n'étant pas flexibles. La seule solution consiste à utiliser une pointure au-dessus. Il faut prendre garde aux chaussures trop petites ou trop grandes.

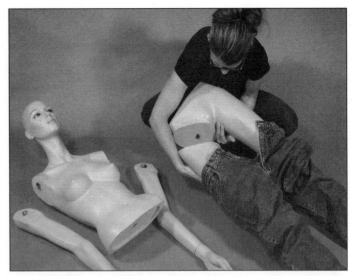

Figure 7.20 – Installation d'un mannequin, étape 1

Trop petites, elles seront déformées par les orteils rigides des mannequins; trop grandes, elles bâilleront de tous côtés sans élégance, même si le bout des souliers est bourré de papier.

DEUXIÈME ÉTAPE

Il s'agit maintenant de bien fixer les jambes et les hanches du mannequin debout à la base (de verre) ou au plancher de la vitrine.

La stabilité est très importante, surtout si la circulation est dense autour des mannequins. Le problème du pantalon est courant à cette étape : comment installer la tige de soutien sans briser le vêtement ? Si la tige est fixée tout près de la jambe et que le pantalon est assez large, on peut la glisser

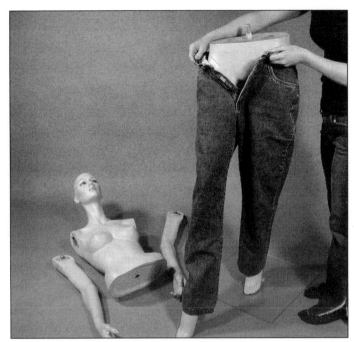

Figure 7.21 – Installation d'un mannequin, étape 2

genre d'attaches nécessitent une chaussure percée, ce qui est souvent très contraignant pour l'étalagiste. Quand ils ne posent pas ce genre de problèmes, les mannequins hommes rendent la tâche plus aisée, car leur tige de soutien est insérée dans le mollet. Pour les mannequins assis, rappelons qu'il est important de respecter la hauteur du siège suggérée par le fabricant afin d'éviter de fâcheux déséquilibres.

TROISIÈME ÉTAPE
Installer le torse d'un mannequin sur sa base est une opération simple si la base est solide. Le vêtement se glissera facilement sur un torse bien fixé à sa base.

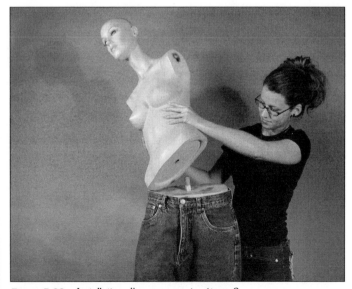

Figure 7.22 – Installation d'un mannequin, étape 3

dans la jambe du pantalon. Si la tige est éloignée de la jambe ou si le pantalon est trop étroit, on doit découdre le pantalon ou tricher en ne le remontant pas jusqu'à la taille.

Si la vitrine s'y prête, on peut ne pas utiliser la base de verre, mais plutôt stabiliser le mannequin au sol à l'aide de fils de fer partant de sa taille, ce qui représente une opération délicate. Pour faire disparaître les fils de fer, il suffira de les peindre de la même couleur que le fond de la vitrine. Certains modèles possèdent une tige de soutien sous le pied, mais ce

Les bras du mannequin s'insèrent par les manches ou par le décolleté, selon le type de vêtement, et se fixent au corps parfaitement et sans problème (figure 7.23).

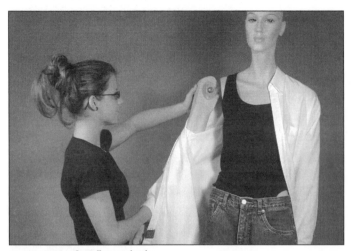

Figure 7.23 – Installation des bras

Il faut être extrêmement vigilant avec les mains. Il est fortement suggéré de ne les mettre en place qu'une fois les bras fixés; sinon, leurs longs doigts pourraient au passage déchirer les tissus fragiles.

Peut-on poser les bras d'un mannequin sur un autre mannequin ? Normalement non, car l'ajustement ne sera jamais parfait, et il y a risque de cassure ou d'endommagement. Cependant, dans certains cas, l'opération est possible, par exemple sous un vêtement ample qui permettra de cacher les imperfections.

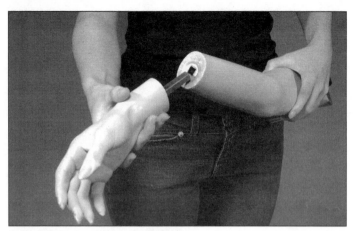

Figure 7.24 – Installation des mains

L'utilisation continue d'un même mannequin au même endroit finit par lasser les passants réguliers, et le mannequin ne remplit plus son rôle de vendeur. Pour éviter ce problème et conserver l'attention des clients potentiels, il est souhaitable d'effectuer une rotation entre les différents modèles dont on dispose. La vie d'un mannequin peut être prolongée si on fait rafraîchir régulièrement son maquillage et mettre ses perruques au goût du jour.

L'interaction des mannequins entre eux est primordiale quand on crée une mise en scène en vitrine. Des mannequins de style uniforme, de la même collection et de fabrication similaire, mais dans des poses diverses, facilitent le travail de composition d'un groupe. Pour obtenir le meilleur effet, il faut se souvenir que, malgré les contraintes d'espace et de budget, le respect des règles de base de la composition en présentation visuelle reste la condition première d'une vitrine réussie.

■ LE RANGEMENT D'UN MANNEQUIN

Le rangement des mannequins pose souvent problème à cause du manque d'espace. Si on possède plusieurs mannequins dont on fait alterner l'apparition en vitrines, le rangement peut poser un problème sérieux. La solution idéale : ranger chaque mannequin séparément et entièrement monté, chacun dans un petit espace déterminé. D'un coup d'œil, l'étalagiste peut alors faire l'inventaire de ses effectifs et choisir rapidement le personnage dont il a besoin. Le rangement en pièces détachées nécessite, quant à lui, une excellente identification des membres si l'on veut éviter les recherches désagréables et les substitutions malencontreuses. Dans ce cas, les casiers de rangement, tapissés de feutrine ou de tapis, protègent les mannequins contre les égratignures.

■ LE TRANSPORT D'UN MANNEQUIN

Le transport d'un mannequin d'un endroit à un autre exige le plus grand soin et comporte des règles. Pour éviter les bris, la règle de base consiste à ne jamais transporter un mannequin dont les bras sont encore attachés au corps. Si on transporte les jambes et le tronc du mannequin, il est préférable d'avoir une main qui retient la fourche et l'autre qui protège le torse et la tête. Les accidents les plus courants dans le transport sont les suivants :

- on soulève le mannequin par la taille (par pudeur peut-être), et les jambes tombent;
- on soutient les jambes et le torse du mannequin, mais on lui fracasse la tête contre un cadre de porte.

Au cours d'un montage, les pièces de chaque mannequin doivent être déposées en toute sécurité sur une surface non rugueuse et à l'abri des distraits.

Pour le transport du mannequin en voiture ou en camion, il est recommandé d'emballer chaque membre dans du papier bulle et de mettre le tout dans une boîte. On évite ainsi le frottement entre les pièces. Les sacs en tissu épais spécialement conçus pour chaque morceau du mannequin constituent la solution idéale si l'on doit transporter celui-ci régulièrement. Il est important d'identifier les emballages pour éviter de perdre du temps au moment du déballage.

L'ACHAT
D'UN MANNEQUIN

LES MANNEQUINS NEUFS

L'achat de mannequins est une décision professionnelle importante pour un étalagiste. Des considérations de coûts, de solidité et de style entrent en ligne de compte au moment du choix. En effet, on trouve sur le marché des mannequins de différentes tailles et représentant différentes ethnies, offerts dans des attitudes et des poses variées. La qualité de fabrication justifie souvent la différence de prix entre des modèles semblables. Il n'est donc pas facile de s'y retrouver.

LES MANNEQUINS USAGÉS

L'achat de mannequins usagés est souvent une solution intéressante. En effet, pour préserver leur image de marque, les grandes chaînes renouvellent périodiquement leurs effectifs et vendent à des prix souvent fort avantageux des mannequins ayant servi durant quelques années. Lorsqu'on achète un mannequin usagé, il faut s'assurer qu'il ne manque pas de pièces, qu'il n'y a pas eu substitution de membres avec un autre mannequin, et vérifier le système d'accrochage des membres. Dans la mesure du possible, il est préférable d'acheter un mannequin de marque connue pour faciliter les réparations éventuelles. En outre, un mannequin de bonne qualité vieillira mieux et se brisera moins facilement. Une fêlure de fibre de verre peut être réparée; une main brisée ou à laquelle il manque des doigts doit être changée à grands

frais, la plupart du temps après une attente de plusieurs semaines. Comme la couleur de la peau de la main neuve sera différente de celle du reste du corps du mannequin, il faudra faire repeindre la nouvelle main ou, si l'on est moins chanceux, tout le mannequin. Les bases de verre prennent souvent des coups : une autre chose à vérifier.

Le style du mannequin est primordial. Il est illusoire de penser transformer un mannequin des années 1970 en personnage de notre époque. Le mannequin est trop intimement lié à la mode pour n'être pas marqué par elle. Quoi qu'on fasse, la pose, l'allure, la dimension de la poitrine, la taille ou les doigts trahiront l'âge du mannequin et ruineront son rendement auprès de la clientèle. Encore une fois, il vaut mieux ne pas utiliser de mannequin plutôt que d'en avoir un qui soit démodé.

LES BUSTES ET
LES PRÉSENTOIRS

LE BUSTE DE COUTURIÈRE

➤ Le buste de couturière (masculin ou féminin) est fabriqué d'après des proportions humaines et il est dépourvu de tête.

➤ Il est vendu en différentes versions, selon les manufacturiers : cou et épaules; cou, épaules, taille et début de hanches; cou jusqu'aux genoux; etc.

Figure 7.25 – Les bustes

➤ Il est habituellement moulé en uréthane (certains modèles sont en fibre de verre) et recouvert d'une housse de tissu extensible amovible qui peut s'harmoniser à la vitrine, aux couleurs de la boutique ou de la saison.

➤ Sa texture permet d'y enfoncer des épingles aisément.

➤ Il est monté sur une base de bois ou de métal détachable du torse.

➤ Certains manufacturiers offrent des bras articulés qui s'attachent au buste.

➤ Le buste permet des présentations de vêtements plus neutres que sur un mannequin. Le buste ne vole pas la vedette aux vêtements.

➤ Il est très répandu chez les designers de présentation.

➤ Son prix et sa facilité d'utilisation le rendent très populaire.

Technique d'habillage classique d'un buste masculin
Même si l'allure décontractée s'impose de plus en plus comme une norme, certains vêtements masculins demandent encore une présentation classique et soignée.

Le torse masculin classique (*rigging*), sans bras et sans tête, sert à présenter avantageusement les vestons et les cravates.

Il est ajustable et monté sur un pied de métal ou de bois. Le vêtement qu'on présente doit être impeccable, sans faux plis, de la taille et de la largeur d'épaule qui conviennent au buste.

Voici comment procéder pour mettre une chemise :
- boutonner et épingler le col bien au centre du cou, aligner les coutures des épaules et les épingler temporairement pour les empêcher de glisser;
- tirer les pans de la chemise et les épingler sous le buste en tirant bien pour que le vêtement soit impeccable et sans faux plis, surtout sur le devant;
- bien aligner les poches de la chemise;
- tendre les manches vers l'arrière et les épingler au buste;
- relever entièrement le col de la chemise pour passer la cravate, faire le nœud de cravate bien droit et plat, et rabattre le col (pour réaliser un nœud de cravate impeccable, voir l'appendice A);
- mettre ensuite le veston, qui ne doit être ni trop grand ni trop petit (un veston trop grand devra être bourré de papier de soie aux épaules pour bien tomber);
- boutonner le veston et s'assurer que toutes ses coutures sont bien droites, à l'arrière et sur les côtés;
- vérifier si, à l'arrière du col du veston, le col de la chemise dépasse en faisant une ligne régulière (épingler le col de la chemise sous le col du veston, si nécessaire);
- si les manches du veston tendent à tourner ou manquent de corps, y insérer du papier de soie roulé en boule pour créer l'illusion d'une forme pleine, puis donner un léger mouvement aux bras.

MERCHANDISERS, FORMES ET PRÉSENTOIRS

Il existe des *merchandisers*, des formes et des présentoirs pour tous les types d'objets et de vêtements, pour tous les goûts et pour tous les budgets. Le but principal de ces accessoires consiste à faciliter la présentation des produits.

Pour présenter les vêtements, les *merchandisers* reproduisent habituellement une partie bien définie de l'anatomie humaine (un torse pour les maillots de bain; une poitrine pour les soutiens-gorge; des jambes ou des pieds pour les collants et les bas; etc.). Ce sont en quelque sorte des cintres sur pied.

Généralement fabriqués en plastique moulé avec ou sans base, les *merchandisers* peuvent servir de présentation sur un comptoir ou dans une vitrine. On peut y suspendre ou y accrocher certains modèles de présentoirs.

Au moment d'acheter des bustes ou des présentoirs, il faut tenir compte des aspects suivants :
- l'esthétique et le *look*, car ces accessoires ne sont pas tous très jolis;
- la solidité, car ils doivent souvent être manipulés à la hâte;
- la facilité d'utilisation.

■ LA PRÉSENTATION DES VÊTEMENTS SANS SUPPORT

Un espace restreint, un budget limité ou le besoin de présentations complémentaires dans une boutique peuvent nécessiter le recours à des techniques de base. Ces techniques sont faciles à utiliser et, quand elles sont bien maîtrisées, leur résultat n'est pas moins joli que celui des autres façons de faire.

LE PLIAGE

La technique du pliage est extrêmement simple et s'utilise autant en présentation visuelle qu'en marchandisage. Le pliage est un procédé qui convient parfaitement aux vêtements sport, masculins ou féminins. Il doit cependant être adapté aux modes et aux styles des vêtements. Ainsi, la mode des chemisiers et pull-overs à épaulettes exige une façon de plier particulière. Un vêtement qui a du corps sera plus facile à plier qu'un vêtement léger.

Afin de se faciliter la tâche et pour améliorer l'allure du vêtement, on y glisse une pièce de carton, de papier rigide ou de plastique. Cette astuce rend les vêtements plus souples, leur donne du volume et les empêche de glisser, s'ils sont mis en pile. Dans le cas des chemises et des chemisiers, on peut ajouter une pièce de soutien sous le col.

Pour ce qui est des vêtements disposés sur des étagères, on doit considérer la largeur et la profondeur des tablettes et s'y adapter. En présentation visuelle, le désir de mettre en valeur le vêtement et l'esthétique sont les meilleurs guides pour déterminer la dimension du pliage.

Voici la façon classique de plier un chandail (ou un chemisier) :
- poser le chandail, le devant sur la table;
- placer le panneau de pliage au centre du chandail;
- plier les manches (figures 7.26 et 7.27);
- replier le bas du chandail;
- retirer ou non le panneau de pliage.

L'ÉPINGLAGE

L'épinglage, comme le pliage, est une des façons intéressantes de présenter les vêtements quand on dispose de peu d'espace. On utilise souvent cette technique comme complément dans une vitrine ou dans les boutiques.

La composition d'un ensemble de vêtements peut être aussi recherchée que celle d'un tableau. Elle peut être traitée de manière sérieuse ou humoristique, réaliste ou abstraite.

L'épinglage se fait sur un mur vertical ou sur un panneau horizontal destiné à être accroché verticalement. On a souvent recours à cette technique pour faire des photos publicitaires de vêtements et surtout pour les photos des catalogues. Le montage se fait alors en à-plat et exige peu d'épinglage.

Dans un montage de ce type, on doit :
- respecter la coupe du vêtement;
- tenir compte du droit fil des tissus (figure 7.28);
- ajouter, si nécessaire, de la bourre au vêtement pour lui donner un léger volume;
- rendre les épingles imperceptibles et même invisibles.

LE MONTAGE SUR FIL

Le montage sur fil est, au départ, une technique difficile à maîtriser mais qui, avec un peu de patience et d'entraînement, peut se révéler fort amusante. Retenus par des fils à peine visibles, les vêtements semblent flotter dans la vitrine et les objets suspendus s'y entrecroisent joyeusement (figure 7.29).

Ce type de montage est adéquat pour les vêtements sport, mais difficile à réussir avec des tissus légers.

Le montage sur fil est démodé pour le moment, mais il peut revenir à la mode.

Il ne coûte que l'effort de le faire. Les seuls outils nécessaires sont du fil de métal, des épingles et une agrafeuse. Mais il faut d'abord avoir accès à un plafond solide ou à un grillage.

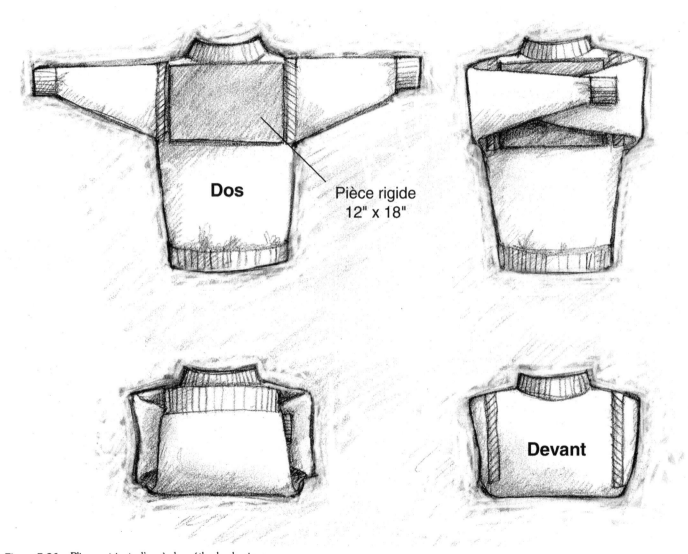

Dos

Pièce rigide
12" x 18"

Devant

Figure 7.26 – Plier un tricot, d'après la méthode classique

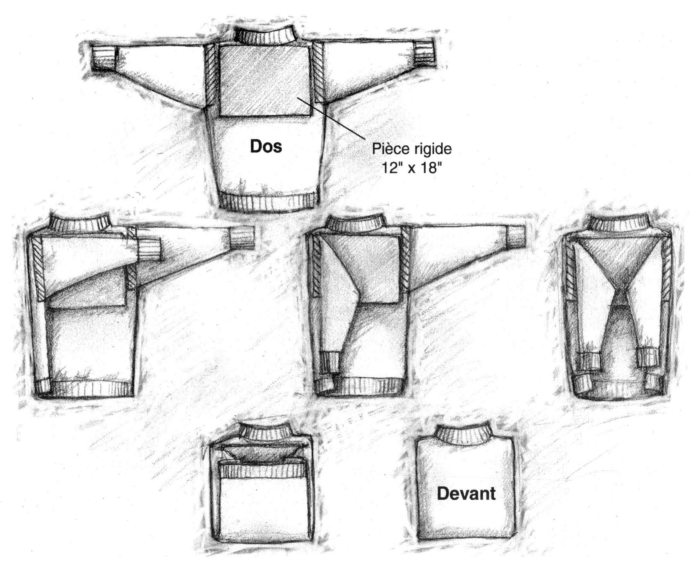

Dos

Pièce rigide
12" x 18"

Devant

Figure 7.27 – Variation sur la manière de plier un tricot

Figure 7.28 – Épinglage et pliage

Comment s'y prendre ?

- On commence par se faire une idée d'ensemble de la composition générale souhaitée.

- Puis on installe deux fils de métal qui soutiendront **en diagonale** le premier vêtement.

- Si le vêtement est lourd – manteau, parka, etc. –, on glisse dans la couture de l'épaule, près de l'encolure, des épingles repliées qui serviront de petits crochets qu'on suspendra aux fils.

- Si le vêtement est léger, on glisse le fil de métal dans les fibres du tissu à la hauteur de la couture.

- Il est facile de donner du mouvement à un vêtement suspendu à la bonne hauteur et qu'on a stabilisé. On peut même y ajouter d'autres vêtements ou des accessoires décoratifs.

- Il faut éviter les fils qui s'entrecroisent ou qui passent devant les vêtements.

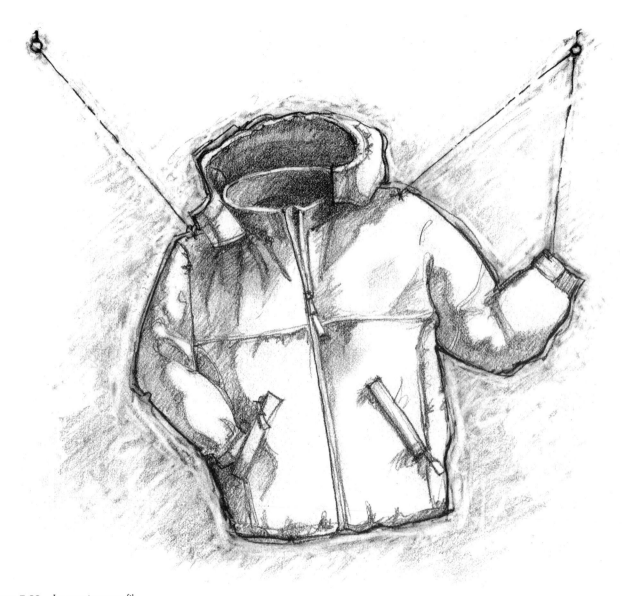

Figure 7.29 – Le montage sur fil

SIGNALISATION ET AFFICHAGE
EN PRÉSENTATION VISUELLE

8.1 LES AFFICHES À L'INTÉRIEUR DES BOUTIQUES ET EN VITRINE

Les boutiques comptent de plus en plus sur l'affichage, qui se révèle un système éprouvé pour communiquer les renseignements de tous ordres destinés à la clientèle.

■ LES FONCTIONS DE L'AFFICHAGE

En vitrine, les affiches établissent un premier contact entre le client et la marchandise. À l'intérieur, elles complètent le message visuel présenté en vitrine : elles renseignent sur le type de magasin; elles servent à souligner les événements spéciaux et les fêtes; elles présentent de nouveaux produits et contribuent à stimuler les ventes des produits existants.

Dans un magasin libre-service, les affiches remplacent jusqu'à un certain point les vendeurs; elles ont pour fonction d'orienter les clients et de leur indiquer où trouver tel ou tel article. Mais leur rôle peut aussi demeurer strictement commercial et promotionnel; il consiste alors à informer sur les nouveaux articles, sur les marchandises en solde et sur leur prix.

Il existe aussi des affiches dont les messages servent à inciter la clientèle à la vigilance ou à s'excuser auprès d'elle d'inconvénients temporaires (plancher mouillé, ascenseur défectueux ou rayon en rénovation).

Les affiches renseignent également sur les caractéristiques d'un produit. Ainsi, pour les lave-linge, une affiche indiquera le nombre de cycles, le prix, les dimensions de l'appareil, etc. Avant de s'adresser à un vendeur, le client possède donc les informations de base qui lui permettent d'évaluer les caractéristiques des appareils et de cibler le modèle qui lui convient. Pour être efficace, l'affichage doit être clair et donner uniquement les informations dont le client pressé a besoin.

8.2 L'ACCROCHAGE ET LA DIMENSION DES AFFICHES

Les affiches doivent être installées près des articles pour en maximiser l'efficacité.

On installe souvent une ou plusieurs affiches à l'entrée du magasin, invitant les clients à se rendre à un rayon précis pour bénéficier des articles en promotion. On affichera, par exemple, que les chandails Ralph Lauren sont en solde à 20 p. cent au deuxième étage ou que la nouvelle collection de maillots de bain se trouve au troisième étage.

On peut également afficher des reproductions grand format d'une publicité parue dans les journaux ou les magazines et, en complément, offrir des copies de cette publicité aux clients, qui pourront la consulter. Cette approche est souvent utilisée dans les magasins d'appareils électroniques et de matériel informatique.

La hauteur à laquelle une affiche est placée peut faire la différence entre celle qui sera vue et celle qui passera inaperçue. Une affiche peut être installée haut à condition que les clients possèdent le recul nécessaire pour bien la voir.

Pour attirer le regard, l'affiche doit être de bonne dimension. On peut comparer une petite affiche à un chuchotement : on chuchote une phrase à une personne tout près de nous et elle saisit notre message. Interpeller quelqu'un qui passe de l'autre côté de la rue exige une autre approche si l'on veut se faire entendre. De la même façon, la grande affiche est un cri : elle s'adresse à des personnes éloignées dont on veut attirer l'attention et à qui l'on souhaite communiquer un message.

Donc, la taille d'une affiche est un élément important de son efficacité. Les grands formats sont davantage lus et donnent aux passants l'impression, à tort ou à raison, qu'il s'agit d'une promotion importante provenant d'une firme très sérieuse. Par exemple, à Times Square, l'espace et le recul permettent aux passants de lire sans effort les nombreuses affiches. En publicité, on imprime des photos de dimensions très imposantes.

Dans un grand magasin, la manière la plus efficace d'attirer l'attention sur un produit se résume en trois points :

① Placer, aux entrées principale et secondaires, des affiches de bonne dimension informant les consommateurs sur le produit, le prix et l'endroit où le trouver en magasin. S'il s'agit d'une promotion importante, il est souhaitable d'avoir le plus grand nombre d'affiches possible et d'installer des affiches de rappel dans les ascenseurs et les escaliers, selon les habitudes de circulation.

② Installer des affiches percutantes près des produits en promotion pour indiquer aux consommateurs intéressés l'endroit précis où se trouve le produit et pour attirer l'attention des distraits qui n'auraient pas vu l'affichage aux entrées.

③ Ne pas utiliser différents types d'affiches pour une même promotion. Les affiches perdent alors de leur efficacité, et les messages risquent de ne pas passer.

8.3 DES AFFICHES LISIBLES

Une affiche a pour principal objectif de communiquer un message de façon efficace. C'est un excellent outil de promotion.

Certaines caractéristiques peuvent améliorer la visibilité de l'affiche et en accélérer la lecture (ces deux éléments constituent ce que l'on appelle la lisibilité formelle). Voici quelques moyens d'assurer la lisibilité de l'affiche :

- employer des phrases courtes et directes;
- utiliser des couleurs contrastées pour le lettrage et le fond de l'affiche, comme les classiques lettres noires sur fond blanc, par exemple;
- éviter tout élément qui ralentit la lecture ou la rend plus ardue :
  - des textes trop longs,
  - des textes imprimés en diagonale ou à la verticale,
  - des textes imprimés sur des illustrations,
  - des caractères trop gras ou trop pâles,
  - une typographie compliquée,
  - un fini glacé ou très glacé, difficile à lire sous les éclairages.

■ COULEURS ET CONTRASTES

Certaines couleurs utilisées pour le fond et le lettrage favorisent davantage la lecture de l'affiche. Un contraste fort entre le fond et le texte facilite la lecture. Le noir et le blanc ainsi que le jaune et le noir sont des exemples classiques de contrastes extrêmes.

On doit se méfier des combinaisons de couleurs qui font vibrer les lettres des textes, comme le rouge et le vert. De même, des caractères blancs sur fond noir se lisent plus difficilement que le contraire.

■ LA TYPOGRAPHIE

En typographie, chaque police de caractères possède un style (on pourrait presque dire une personnalité) qui lui est propre et que l'on doit choisir et respecter en fonction de l'affiche à produire et du produit à promouvoir. Un choix adéquat renforce l'efficacité du texte, un mauvais choix la détruit absolument.

QUELQUES PRINCIPES À RETENIR :

- Les caractères horizontaux se lisent avec rapidité et aisance, alors que les caractères tracés en arc sont difficiles à lire et rebutent.
- La lecture d'un texte écrit en majuscules est plus rapide que celle d'un texte en minuscules.
- Une affiche comportant plus de deux ou trois types de caractères oblige les yeux à des efforts supplémentaires.
- Les mots trop serrés ou trop espacés compliquent inutilement la lecture.

■ LES AFFICHES « MAISON » OU DE FACTURE PROFESSIONNELLE

Les affiches « maison » exécutées rapidement avec les moyens du bord n'ont pas beaucoup d'effet sur la clientèle, sinon de la faire sourire devant cet amateurisme étonnant, quand elles ne discréditent pas carrément le magasin ou la boutique où elles sont installées. Elles sont donc à proscrire.

La production d'une affiche requiert l'habileté, la technique et le sens de la composition d'un professionnel de la communication.

La technologie permet de produire rapidement et de manière professionnelle des affiches de qualité, à bon compte. On peut se servir de l'ordinateur pour réaliser des formats d'affiches différents et les imprimer en plusieurs exemplaires avec une imprimante au laser. Les grands et les moyens formats peuvent aussi être exécutés avec des moyens électroniques. Cependant, les techniques traditionnelles, comme la sérigraphie ou les vinyles collés, se révèlent souvent plus économiques. Tout dépend de la quantité d'affiches à produire, de la complexité du travail et du budget dont on dispose. Les méthodes traditionnelles ont cependant certaines limites.

La **sérigraphie** est considérée comme une technique d'impression économique si l'on a une grande quantité d'affiches à produire, mais elle est très coûteuse pour une petite production.

Cette technique consiste à créer un pochoir de soie pour chacune des couleurs du dessin, puis à imprimer une couleur à la fois pour reproduire le dessin ou le lettrage. Plus les couleurs sont nombreuses, plus on devra fabriquer de pochoirs. L'impression demandera alors plusieurs manipulations, et les coûts seront en conséquence.

La technique des **vinyles collés** est souvent utilisée pour une production restreinte d'affiches (une dizaine). L'affiche est composée à l'ordinateur à partir d'un très grand choix de fontes. Un logo ou un dessin peut aussi être ajouté à la composition. Une fois la composition achevée, chacune des couleurs doit être découpée individuellement sur un vinyle adhésif par une machine à découper reliée à l'ordinateur (*sign maker*). Il ne reste plus qu'à « peler » le vinyle, c'est-à-dire à enlever les parties inutiles et à coller lettres et logos sur un support. Le support du vinyle peut être un carton, un *foamcore*, une matière plastique ou même la vitre d'une vitrine ou d'un magasin. Les vinyles adhésifs sont vendus au mètre dans une très grande variété de couleurs, d'épaisseurs et de finis.

Une fois la promotion terminée, le vinyle s'enlève facilement s'il a été collé sur une vitre ou sur une matière plastique. On peut se servir d'un séchoir à cheveux pour attendrir le vinyle. Un solvant peut aussi être employé pour se débarrasser des résidus de colle.

L'affichage en 3D est rarement utilisé. Par contre, la technique se révèle très intéressante pour évoquer l'idée d'un bas-relief. Par exemple, le mot SOLDE en 3D dans une vitrine ou à l'intérieur d'un magasin peut aussi bien relever du décor (*props*) que de l'affiche. Comme pour les décors, les affiches 3D sont souvent fabriquées avec des matériaux légers : styromousse, *foamcore*, etc.

8.4 LES TRUCS DU MÉTIER

Les textes exposés dans les vitrines et qui décrivent un article de long en large peuvent, en théorie, remplacer une information verbale, mais l'expérience prouve que peu de personnes restent devant une vitrine pour y lire de longues explications. De plus, le passant qui prend le temps de lire un texte risque de perdre l'impulsion première qui le poussait à acheter. Son intérêt refroidi, il quittera les lieux.

Alors, plutôt que de chercher à vendre un produit au moyen d'indications sur ses qualités, sur les matériaux utilisés pour sa confection, sur ses couleurs, etc., il faut se rappeler que quelques mots évocateurs ou une courte phrase suffisent pour créer l'envie d'examiner de plus près le produit exposé.

Comment réaliser un nœud de cravate impeccable

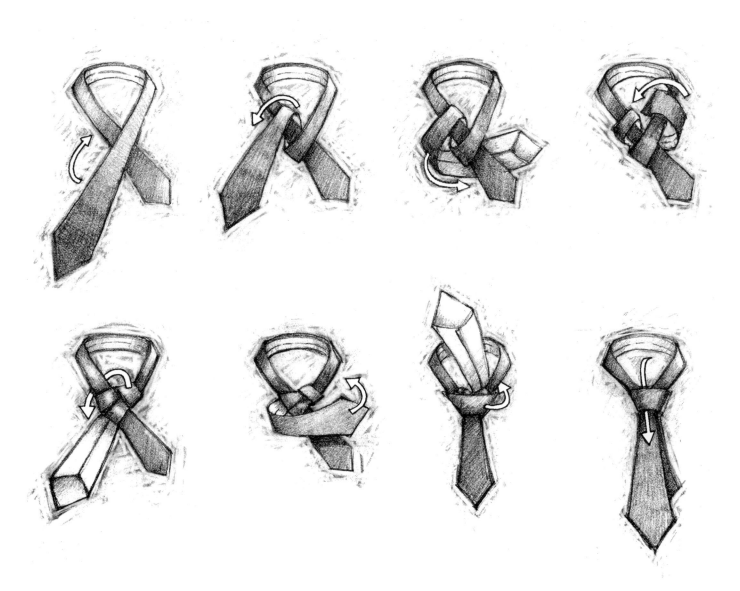

◗ BIBLIOGRAPHIE

ABRAMSON, Susan, et Marcie STUCHIN. *Shops and Boutiques 2000 : Designer Stores and Brand Imagery*, PBC International Inc, 1999, 176 p.

BAILEY, Adrian, et Adrian HOLLOWAY. *Le livre de la photo couleur*, Paris, Larousse et P. Montel, 1980, 215 p.

BEYDRON Maurice. *L'étalage*, Paris, Dessain et Tolra, 1975, 141 p.

CAP-AUX-DIAMANTS. « Les grands magasins, un nouvel art de vivre », n° 40, hiver 1995.

COLBORNE Robert. *Visual Merchandising : The Business of Merchandise Presentation*, Delmar Publishers, 1996, 335 p.

DEMORY, Bernard. *La créativité en pratique et en action*, Paris, Chotard, 1978, 285 p.

DIAMOND, Jay, et Ellen DIAMOND. *Contemporary Visual Merchandising*, Prentice Hall, 1999, 247 p.

HORTON, Tony. *The Power of Visual Presentation*, Visual Reference Publications Inc., 2001, 180 p.

PARROT, Nicole. *Mannequins*, Paris, Catherine Donzel éditeur, 1981, 240 p.

PEGLER, Martin M. *Visual Merchandising and Display*, 4e éd., Fairchild Publications, 1983, 362 p.

PEGLER, Martin M. *Lifestyle Stores*, PBC International Inc, 1996, 175 p.

PORTAS, Mary. *Vitrines : stratégies de la séduction* (*Windows : the Art of Retail Display*), Londres, Thames and Hudson Ltd, 1999, 192 p.

SCHMITT, Éric-Emmanuel. *Monsieur Ibrahim et les fleurs du Coran*, Paris, Albin Michel, 2001, 85 p.

ZOLA, Émile. *Au Bonheur des Dames*, Presses Pocket.

ZOLA, Émile. *L'assommoir*, Presses Pocket.

ZOLA, Émile. *Le ventre de Paris*, Presses Pocket.

ZOLA, Émile. *Carnets d'enquête*, Presses Pocket.

INTRODUCTION

Figure 1

Henry Morgan and Co., Dry and Fancy Goods, Millinery, Etc. Tiré de : Montreal illustrated 1894, its growth, ressources, commerce, manufacturing interests, financial institutions, educational advantages and prospects. Montreal : published by the Consolidated Illustrating Co., [1894?], p. 300. Pointe-à-Callière, musée d'archéologie et d'histoire de Montréal. Photographie : Normand Rajotte.

Figures 2, 3, 4

Photographies de la collection du Château Ramezay.

CHAPITRE 4

Figures 4.3, 4.4, 4.5

Photographies Francine Bastien.

Figures 4.8, 4.9, 4.10, 4.11

Photographies Estelle Hallé.

CHAPITRE 6

Figures 6.1, 6.2, 6.3, 6.4, 6.5, 6.6, 6.8, 6.9, 6.10, 6.11, 6.12, 6.13

Photographies Francine Bastien.

CHAPITRE 7

Figures 7.2, 7.3, 7.4

Archives Esmod/Guerre-Lavigne. Paris.

Figure 7.5

Mannequin Stockman. Archives Siégel et Stockman. St Ouen.

Figures 7.6 a, 7.6 b

Archives Siégel et Stockman. Photographies George Hoyningen Huené. Vogue France@ Condé Nast.

Figure 7.7

Archives Siégel et Stockman. St-Ouen.

Figure 7.8

Photographie Christian Bouvier.

Figure 7.9

Archives du Centre d'études du commerce. Paris.

Figures 7.10, 7.11

Photographies Bernard Faucon.

Figure 7.12

Archives Siégel et Stockman. St-Ouen.

Figure 7.13

Twiggy, mannequin Adel Rootstein. Archives Adel Rootstein. Londres.

Figure 7.14

Document Gemini Display. Londres.

MEMBRE DU GROUPE SCABRINI

Québec, Canada
2007